CB036307

Orar

faz muito bem!

Padre

Alex Nogueira

Orar

faz muito bem!

Um caminho espiritual
para crescer
na vida de oração

Edições Loyola

Dados Internacionais de Catalogação na Publicação (CIP)
(Câmara Brasileira do Livro, SP, Brasil)

Nogueira, Alex
Orar faz muito bem! : um caminho espiritual para crescer na vida de oração / Alex Nogueira. -- São Paulo : Edições Loyola, 2024. -- (Espiritualidade cristã)

ISBN 978-65-5504-338-9

1. Espiritualidade 2. Pai Nosso 3. Orações I. Título. II. Série.

24-188932 CDD-248.32

Índices para catálogo sistemático:

1. Oração : Cristianismo 248.32

Eliane de Freitas Leite - Bibliotecária - CRB 8/8415

Preparação: Carolina Rubira
Capa: Ronaldo Hideo Inoue
Composição da moldura de © pgmart
sobre detalhe da imagem de © doidam10.
© Adobe Stock.
Diagramação: Sowai Tam
Revisão: Paulo Fonseca

Edições Loyola Jesuítas
Rua 1822 nº 341 – Ipiranga
04216-000 São Paulo, SP
T 55 11 3385 8500/8501, 2063 4275
editorial@loyola.com.br
vendas@loyola.com.br
www.loyola.com.br

ISBN 978-65-5504-338-9

110524

Ofereço este livro a:

....

para que, lendo suas páginas,
você possa fazer um caminho espiritual
a fim de crescer na vida interior
por meio de uma experiência tranquila
de meditação e oração.

É com grande alegria que apresentamos ao nosso público esta obra do padre Alex Nogueira: "Orar faz muito bem! – Um caminho espiritual para crescer na vida de oração". Uma publicação que corresponde perfeitamente à proposta do Papa Francisco para o "ANO DA ORAÇÃO", a fim de que cada um possa "redescobrir o grande valor e a necessidade absoluta da oração [...] na vida pessoal, na vida da Igreja, no mundo" (Papa Francisco, *Angelus*, 21/01/2024). O livro do padre Alex certamente há de fazer um bem imenso a todos aqueles que o lerem. Aqui o leitor encontrará esclarecimentos sobre a fé católica e meditações a partir da Oração do Senhor: textos que levarão ao crescimento interior e ao cultivo de uma vida mais feliz e tranquila de amor ao Senhor e aos irmãos.

Boa leitura!

Pe. Eliomar Ribeiro, SJ
Diretor-geral de Edições Loyola e
Diretor Nacional do Apostolado da Oração
e MEJ Brasil

De acordo com os cânn. 824 e 827 §3 do *Código de Direito Canônico*, concedo a licença para publicação e o *imprimatur*.

Dom Antonio Braz Benevente
Bispo Diocesano de Jacarezinho-PR
18 de dezembro de 2023

Sumário

Apresentação

Glória ao Pai, ao Filho e ao Espírito Santo,
como era no princípio agora e sempre,
e por todos os séculos dos séculos. Amém.

Este livro nos oferece uma proposta excepcional de aprofundamento no caminho da salvação, trata-se do "Orar faz muito bem", escrito pelo Padre Alex de Oliveira Nogueira, da Diocese de Jacarezinho-PR.

Por vários anos bebendo do manancial sacramental, o Mosteiro Preciosíssimo Sangue – no qual padre Alex atende como confessor – reza pela fecundidade do apostolado desse padre e se alegra com a publicação desta belíssima obra.

Damos testemunho de que este aspecto essencial da vida espiritual, ou seja, *a oração*, sempre esteve presente na vida de padre Alex. Sendo este o seu primeiro livro, o tema ganha uma grande e coerente relevância devido à sua experiência pessoal com o Sagrado, pois é um sacerdote cuja prioridade de fato é a oração. Em suas várias recorrências a Deus, ele se comporta como aquele filho que tudo diz ao pai, escuta e busca obedecer. Assim conheço esse "sacerdote do Altíssimo" (cf. Hb 7,1): não faz nada sem antes entrar em diálogo com o Pai Celeste.

Nesta ocasião, sua vida discreta e escondida transmite de maneira didática e com sábia humildade um valioso itinerário de oração e aprofundamento na fé. Além de ser escritor e intelectual, além de sua posição eclesial e social, quero destacar aqui algumas características próprias deste sacerdote que é *pastor, pai, mestre, filho e médico*. Todos traços que estão em consonância com o múnus sacerdotal e que potencializam uma capacidade imensa que tocará no mais profundo da alma de cada leitor, a ponto de conduzir a um verdadeiro exame de consciência, tanto aos que já têm a prática da oração, quanto aos que a terão a partir deste livro.

Como *pastor* e *mestre*, padre Alex não só se preocupou como também organizou de forma harmoniosa e pedagógica um excelente roteiro orante, com a finalidade de orientar o seu rebanho. Como *pai* espiritual de um povo, coloca-se ao lado dele e ensina o caminhar seguro na fé católica e na sagrada Tradição: verdadeiramente ele ensina a rezar. Como *filho*, convida-nos a voltar, reconhecer e a nos reconciliar com a primeira Pessoa da Santíssima Trindade, encontrada na oração do pai-nosso, sobre a qual discorre este livro. Faz isso com certa maestria, direcionando a visão do leitor para o vértice da vida interior. Como *médico* das almas, traz presente na própria vida as excelências do ministério sagrado, visto que o sacerdote é portador do bálsamo da cura.

É válido ressaltar que o conteúdo que o leitor tem em mãos é fruto da oração de um homem consagrado ao Senhor que, no Cristo, foi instituído como "mediador entre Deus e os homens" (cf. 1Tm 2,5). Ele fala a Deus sobre mim e você. Agora, fala de Deus com muita simplicidade, disponibilizando meios para conversar com Ele, em oração, conduzindo a um estado de amizade, ao momento em que a oração é amizade com Deus. Outrossim, está claro que a qualidade e profundidade da vida espiritual estão alicerçadas na oração e que a oração gera dependência de Deus.

Encontra-se no subtítulo deste livro, a frase: "Um caminho espiritual para crescer na vida de oração". Ela é um autêntico anúncio profético que apresenta ao leitor um desafio de compromisso com Jesus Cristo. De forma diligente e muito precisa, os nove capítulos contidos neste livro oferecem um verdadeiro ensinamento, com meios e práticas de oração, com o acompanhamento próximo do autor que caminha junto, passo a passo com o leitor. Há, de fato, um desejo impresso em cada página: o de ajudar a pessoa a rezar, revelando assim um simultâneo zelo pastoral pela salvação das almas.

Este livro não só fomenta no coração do povo um amor pela oração, como também forma um exército orante de Deus Pai.

É um convite para percorrer as trilhas de um reto propósito, chegar à estação da oração, entrar no trem da perseverança e buscar Aquele que primeiro nos buscou, chamando-nos de filhos antes de o chamarmos de Pai.

Por meio desta leitura é possível fazer a experiência de oração com Deus. Ele que é um Pai acessível.

Orar faz muito bem! Faça essa experiência.

Por uma monja Pobre de Jesus Cristo

Introdução

Orar faz muito bem! Diariamente o programa "manhã de luz", que apresento na Rádio Educadora de Jacarezinho-PR, inicia com a canção do Padre Zezinho, SCJ, que canta: "orar costuma fazer bem; o coração de quem se entrega à oração tem mil histórias pra contar...". Por diversas vezes, neste mesmo programa, reafirmo que orar não só costuma fazer bem, mas que "faz muito bem".

A palavra "orar" vem de "oração" e designa a atitude humana de dialogar e se unir a Deus na intimidade do coração. Deus é amor (1Jo 4,16), e permanecer em Deus por meio da oração é permanecer no amor. Desse modo, tal decisão humana faz muito bem, pois está alicerçada na verdade do amor divino. Nesse sentido, o título deste livro é uma constatação dessa verdade, por isso que dizemos: "Orar faz muito bem".

Da necessidade de ajudar o povo de Deus a rezar, surgiu a *oração da manhã*, que hoje se espalha pelas redes sociais. Da mesma necessidade de levar a prática da oração às pessoas, surgiu este livro. Sua estrutura tem a intenção de ajudar o leitor a conhecer melhor os elementos da fé católica e, ao contemplá-los, viver a experiência de rezar. O subtítulo do livro, "Um caminho espiritual para crescer na vida de oração", revela que nestas páginas haverá um itinerário de meditação e oração. São indicações simples e que darão frutos espirituais na vida do leitor, conforme for sua abertura para a ação do Espírito Santo.

Segundo o Evangelho de São Lucas, um discípulo de Jesus pediu: "Senhor, ensina-nos a orar, como João ensinou aos seus discípulos" (Lc 11,1). A resposta de Jesus foi o ensinamento da oração do pai-nosso. É sobre essa oração que este livro está construído. Ao meditar cada parte do pai-nosso, um caminho espiritual se abre com o objetivo de ajudar o leitor a criar uma regularidade na vida de oração e de meditação sobre a fé.

A oração do pai-nosso foi uma instrução de Jesus Cristo aos seus discípulos e quem a reza obedece a Deus. Obedece porque reza, obedece porque reza do jeito que Jesus ensinou. Nada é mais forte na vida de um cristão do que obedecer a Deus. O inimigo da salvação ensina a desobediência, enquanto o Filho de Deus ensina a obediência. A pessoa que decidiu por Deus quer obedecê-lo e seguir unida a ele.

A partir dessa oração ensinada por Jesus, convido você a fazer um caminho espiritual por meio deste livro. Um caminho de esperança e de confiança em Deus, com base na Sagrada Escritura e na Tradição da Igreja. Se as situações difíceis da vida como o luto, enfermidades, perdas, tristezas e desilusões têm roubado sua esperança, eu convoco você a reavivar uma verdade de fé pela oração: "Quem nos separará do amor de Cristo? O sofrimento, a aflição, a perseguição, a fome, a nudez, o perigo, a espada? Mas de tudo isso saímos vencedores por meio daquele que nos tem amado" (Rm 8,35.37).

A meditação sobre a oração do pai-nosso é um encontro com esse amor divino que sustenta a vida cristã em qualquer situação. Quanto maior a imersão nesse amor, menos egoísta e fechada em si mesma será a pessoa. Quando alguém é batizado, é inserido nesse amor de Deus que revela uma vida espiritual elevada, por isso é um novo nascimento. Sobre isso, Jesus disse a Nicodemos: "se alguém não nascer da água e do Espírito, não poderá entrar no Reino de Deus" (Jo 3,5).

Aquele que nasceu de novo em Jesus, não nasce para o egoísmo, mas para o amor, a caridade, ou seja, para a santidade. A oração conduz a este caminho de santidade, o que não é um peso, mas um ato de amor. Nascemos para amar. Não somos descartáveis, nascemos para o amor que permanece. O grande desafio atual dos cristãos é permanecer neste amor com fidelidade.

Como um auxílio para a vida espiritual, apresento este livro em forma de explicações sobre a fé católica e meditações que levam à oração. Ele possui nove capítulos, e cada um dos capítulos traz cinco tópicos de meditação. O significado do número nove na vida humana recorda o tempo necessário para a gestação de um bebê. O número cinco remete às cinco chagas de Cristo: nos pés, nas mãos e no lado aberto pela lança do soldado.

Depois do nascimento natural, gestado em nove meses na maioria as vezes, há um nascimento espiritual para a vida da graça por meio do batismo. Nos nove capítulos deste livro, tenho a intenção de ajudar você a crescer na vivência das promessas batismais. Não há vida cristã sem passar pela cruz e, por isso, os cinco tópicos de cada um dos capítulos faz menção a essa verdade.

Portanto, há no livro um total de quarenta e cinco tópicos. Sugiro que você não leia o livro todo de uma só vez, mas leia um tópico por dia, perfazendo um período de quarenta e cinco dias. Escolha um horário em que seja possível fazer a leitura e a oração. Seja perseverante e atento ao que Deus quiser lhe dizer. Sempre quando iniciar um capítulo do livro, há uma breve introdução que pode ser lida junto com o primeiro tópico do capítulo.

Não tenha pressa de ler tudo em poucos dias. Conforme foi proposto, você poderá fazer uma experiência tranquila de meditação e oração durante quarenta e cinco dias. Para criar um hábito de rezar, é importante que a leitura seja diária, mas se acontecer de falhar um dia, retome no dia seguinte a partir de onde parou. Peça ao Espírito Santo que o ajude nesta jornada de oração, sobretudo na atitude da perseverança.

A oração do pai-nosso ensinada por Jesus é poderosa e tem sido rezada ininterruptamente pelos cristãos nestes dois milênios. A força da oração toca o Coração de Jesus. Abandone a preguiça espiritual de rezar, não seja um cristão morno. Reze com fé e mergulhado na caridade divina. Lembre-se que Deus deseja almas fervorosas nesta caridade. Assim como o Senhor advertiu a Igreja em Laodiceia no livro do Apocalipse, também adverte a todos os *cristãos:* “Conheço tuas obras: tu não és nem frio nem quente. Quem dera que fosses frio ou quente! Mas como és morno, nem frio nem quente, estou para te vomitar da minha boca” (Ap 3,15-16).

Que a experiência da leitura e oração ajude você a encontrar um caminho espiritual para crescer na vida de oração. Caso queira, ao final de cada tópico poderá apontar a câmera de seu celular para o QR Code e acessar o link para rezar comigo a proposta de oração conforme está no livro. Independente de utilizar este recurso ou não, o mais importante é que você reze com um coração humilde, confiante e perseverante.

Ao ler o livro, não pense que a oração seja um caminho impossível na sua vida. Pelo contrário, tire os obstáculos que você criou e dê livre acesso ao Espírito Santo. Se assim você fizer, tenha certeza de que terá "mil histórias para contar" sobre a ação de Deus na sua caminhada de fé.

Que Deus o abençoe nesta jornada de oração, em Nome do Pai, e do Filho, e do Espírito Santo. Amém.

Padre Alex Nogueira

Acesse o QR CODE
e acompanhe a
mensagem especial do
Padre Alex Nogueira!

1

Pai nosso,
que estais nos céus

A primeira afirmação do pai-nosso ensinado por Jesus chama Deus de "Pai". Diz que Deus é Pai. Embora haja menções a Deus como Pai no Antigo Testamento, Jesus nos revela essa paternidade de um modo completamente novo. Até mesmo Moisés na sarça ardente recebe uma resposta de Deus que não contempla essa afirmação paterna. Porém, com Jesus, aprendemos essa verdade de fé, que no dizer da Teologia é chamada de "Revelação".

Deus revelou através de Jesus que ele é Pai. Só Jesus poderia revelar essa realidade, uma vez que ele conhece o Pai. Assim ensina o Mestre: "Todas as coisas me foram entregues por meu Pai. Ninguém conhece o Filho senão o Pai, nem alguém conhece o Pai senão o Filho e aquele a quem o Filho o quiser revelar" (Mt 11,27). Desse modo, Jesus Cristo (o Filho) quis revelar a nós quem é o Pai. São João Paulo II, no dia 11 de janeiro de 2004, afirmou: "Jesus, rosto humano de Deus e rosto divino do homem". No rosto amoroso de Jesus, pode-se contemplar a paternidade divina, visto que Jesus ensinou: "Eu e o Pai somos um" (Jo 10,30). Só assim se sustenta com toda segurança vinda da autoridade divina que "Deus é Pai".

Os seres humanos são amados por Deus Pai e, por isso, mergulhados neste imenso amor, aprendem a chamá-lo de "papai", "papaizinho", conforme cita São Paulo na Carta aos Gálatas "*Abbá, Pai*" (Gl 4,6). Sendo a palavra "*Abbá*" o diminutivo carinhoso de Pai. Todos só aprendem tal revelação exclusivamente por meio de Jesus Cristo, o Filho, pois nenhum outro poderia ter dito desta forma ou ensinado isto à humanidade.

Para uma experiência sincera com Deus que é Pai, em cada tópico deste capítulo será realizado um ato de oração, através da meditação das verdades de fé que permeiam o início do pai-nosso. Abra o seu coração e permita que o Espírito Santo lhe conduza na leitura e na oração.

Curar as feridas paternas

Como a oração inicia com o nome "Pai", deve-se tomar consciência de que o Pai a quem se reza não é um pai terreno, por isso não é aplicável a Deus conceitos limitados e mundanos de pai ou de mãe. Você poderia pensar: "Mas Jesus não está fazendo uma associação com os pais deste mundo?". A resposta é negativa, pois Deus (nosso Pai) vai além de todos os aspectos e categorias deste mundo. Por isso não é aplicável o modo de ver os pais deste mundo em proporção direta a Deus.

Compreendida tal questão, também se faz importante curar as feridas oriundas da convivência familiar, sobretudo as relacionadas à paternidade. Não porque Deus é pai igual aos pais terrenos, mas porque você indireta ou involuntariamente acaba fazendo tal associação. Um pai pode ter sido ausente, violento, injusto ou até mesmo indiferente. Algumas pessoas se afastam de Deus, pois estão tão marcadas na alma pela experiência negativa com o pai terreno que são capazes de acreditar que Deus é um pai semelhante ao deste mundo.

Há muitos ateus, isto é, pessoas que não creem em Deus – ou mesmo cristãos que se afastam da Igreja – que o são por aplicarem os conceitos e traumas mundanos de paternidade a Deus. Ao retornar à experiência sadia e verdadeira com o único "Deus Pai", torna-se indispensável compreender que a paternidade de Deus é totalmente outra, visto que vai além das experiências humanas. Assim, Deus é referência para qualquer pai deste mundo e não os pais deste mundo referências para Deus. Se muitos pais terrenos causaram dor e desordem, é porque lhes faltou buscar em Deus o modelo e o caminho de conversão para serem bons pais.

Neste primeiro dia de leitura e oração, permita que Espírito Santo lhe conduza a curar eventuais traumas e incompreensões trazidos pela figura paterna. Também reconheça que seus antepassados possuíram coragem e virtude para sustentar a família e, mesmo que tenham sido limitados e imperfeitos, foram instrumentos de Deus na sua formação. Se por um lado existem lembranças negativas, sabe-se que também há muita batalha e doação de vida por parte de tantos pais. Neste mundo ninguém é suficientemente perfeito que não tenha cometido alguns erros, por isso a importância do movimento interior de perdoar e reconhecer que também existem coisas boas a serem ressaltadas.

O caminho da oração faz lembrar que Deus é o verdadeiro Pai, e modelo para todos os outros. Se você tem dificuldades em relação à figura paterna, peça ao Espírito Santo que lhe introduza num processo de cura, pois dessa forma a alma estará mais livre para mergulhar no mistério da oração que chama Deus de "Pai".

Hora de rezar

Agora a meditação é sobre as palavras "Pai nosso". Nesta oração, ao falar de uma verdade de fé, esteja fixado em Deus e não em imagens negativas que você tenha sobre a paternidade. Mergulhe no profundo amor que Deus Pai tem por você e reze com simplicidade e humildade.

(Faça o sinal da cruz, respire profundamente e devagar. Quando soltar o ar, pronuncie a primeira das frases, depois respire novamente, pronuncie a outra e por fim a última. Faça três vezes a mesma sequência das três frases, o que totalizará nove preces.)

1. **Pai nosso, que nos amaste primeiro;**
2. **Pai nosso, que nos sustentais;**
3. **Pai nosso, ensinai-nos a amar-vos.**

Conserve mais alguns instantes de oração espontânea. Termine esta prece com a oração completa do pai-nosso, da ave-maria, do Glória ao Pai e faça o sinal da cruz para encerrar.

Acesse o QR CODE e reze com o Padre Alex Nogueira!

Reconhecer Deus como verdadeiro Pai

Deus é Pai, é Pai Eterno. Tomamos a consciência de que ele não possui as propriedades que os pais humanos têm, mas que qualquer paternidade humana deve se espelhar na paternidade divina e dela receber virtudes e dons.

O motivo principal pelo qual não se deve dirigir a Deus com imagens íntimas de paternidade ou maternidade terrenas, é porque humanamente não há condições de descobrir que "Deus é Papai". Só foi possível receber tal conhecimento revelado pelo Filho. Jesus possui uma relação pessoal de Filho com seu Pai e apresenta esse mistério sob forma de Revelação.

O *Catecismo da Igreja Católica*, no parágrafo 2779, ajuda a compreender o caminho do reconhecimento de quem é verdadeiramente o Deus Pai: "A purificação do coração diz respeito às imagens paternas ou maternas oriundas de nossa história pessoal e cultural, as quais influenciam nossa relação com Deus. Deus nosso Pai transcende as categorias do mundo criado. Transpor para ele, ou contra ele, nossas ideias neste campo seria fabricar ídolos, para adorar ou para destruir. Orar ao Pai é entrar em seu mistério, tal qual ele é, e tal como o Filho o revelou para nós."

As atitudes de quem tem fé devem reconhecer onde está o verdadeiro e único Deus que nos revelou ser um Pai. Isto é motivo de dar graças, pois, antes da vinda de Jesus – embora existissem imagens de Deus como um Pai no Antigo Testamento –, ninguém era capaz de chamar diretamente Deus de Pai. Tal verdade leva a não colocar outras coisas, pessoas, afetos, prazeres e posses no lugar do verdadeiro Deus. Quando acontece essa substituição de Deus por outras coisas, elas são denominadas "ídolos".

Romper com os ídolos e falsas imagens de Deus é adorar e servir apenas o único Deus que é Pai, Filho e Espírito Santo. Assim, a destruição e rompimento com os ídolos se faz por uma atitude de desapego e humildade. Isso leva a se desfazer dos falsos deuses, das imagens paternas deturpadas e a deixar no centro da vida um único Deus que é verdadeiro Pai. Quais são as ocupações ou coisas (ídolos) de sua vida que lhe afastam de Deus?

Quando se exercita a capacidade de fazer uma avaliação cotidiana sobre as coisas que têm ocupado o lugar de Deus, a luz da oração fará você se confrontar e iniciar um processo de libertação. O que é necessário mudar hoje na sua vida? Qual vício, ídolo, revolta, orgulho, trabalho, bens materiais, cargos, que estão o distanciando de Deus?

Hora de rezar

Com humildade e simplicidade, reconheça Deus como único e verdadeiro, aquele revelado como Pai. Liberte-se dos falsos ídolos, das falsas seguranças. Na força da oração queira iniciar um verdadeiro processo de mudança espiritual.

(Faça o sinal da cruz, respire profundamente e devagar. Quando soltar o ar, pronuncie a primeira das frases, depois respire novamente, pronuncie a outra e por fim a última. Faça três vezes a mesma sequência das três frases, o que totalizará nove preces.)

1. **Pai nosso, único e verdadeiro Deus;**
2. **Pai nosso, único Senhor de nossa vida;**
3. **Pai nosso, libertai-nos dos ídolos.**

Conserve mais alguns instantes de oração espontânea. Termine esta prece com a oração completa do pai-nosso, da ave-maria, do Glória ao Pai e faça o sinal da cruz para encerrar.

Acesse o QR CODE e reze com o Padre Alex Nogueira!

Quem sou diante do Pai?

A resposta a essa pergunta é objetiva: todo batizado é filho de Deus por adoção. Só é possível dizer que o ser humano é filho de Deus, pois a filiação se faz por adoção. Ninguém merecia ser chamado de filho depois da primeira desobediência de Adão e Eva, porém Deus, em seu infinito amor, adotou os homens através de Jesus Cristo. Essa adoção aconteceu porque Deus assumiu nossa humanidade ao se fazer homem em Jesus Cristo. Assim, Jesus é nosso irmão porque assumiu por amor a natureza humana. Eu sou filho de Deus por adoção, visto que o único e legítimo filho de Deus é Nosso Senhor Jesus Cristo e, como Jesus é homem verdadeiro, é nosso irmão.

O homem e a mulher perderam o estado de graça natural em que foram criados quando, no jardim do Éden, desobedeceram e se afastaram de Deus. No mistério da salvação, Jesus desceu do céu, encarnou-se e assumiu a natureza humana para dar-lhe a capacidade de viver uma vida em Deus novamente, a chamada vida da graça, ou seja, da comunhão com o Criador. Por receber essa graça divina, própria de quem é filho, o homem se tornou filho de Deus por adoção e por iniciativa divina.

A identidade do ser humano como filho de Deus desperta uma alegria indescritível, pois não haveria como a humanidade por sua própria força alcançar esse estado. Tudo foi concedido por graça de Deus, no amor e por amor. Diante dessa verdade de fé não há outra atitude senão a do louvor e imenso agradecimento. Por isso o cristão aprende a ter gratidão a Deus, porque ele nos criou com amor admirável e, por amor mais admirável, ele nos salvou.

A imagem e semelhança de Deus impressa na alma humana, agora é restaurada pela força da graça de Deus, dando ao homem o céu como oportunidade. Nenhuma outra criatura recebeu essa condição, assim como nenhuma outra pode dizer com consciência que Deus é Pai e que é filha adotiva de Deus. Todos os animais são chamados apenas de criaturas de Deus, pois nele têm sua origem, mas só o ser humano é filho, pois Jesus, o Filho de Deus Pai, assumiu nossa natureza humana.

Não permita que o pecado continue a ofuscar a imagem e semelhança de Deus impressa em sua alma e restaurada pela morte e ressurreição de Jesus. Você é filho de Deus e pode se libertar de tantas amarras de pecado que lhe impedem de progredir. Quais têm sido as amarras que afastam você de viver plenamente a filiação com Deus?

Hora de rezar

O pai-nosso é sem dúvidas uma graça dada por Deus a seus filhos. Por isso, mergulhe no profundo amor que Deus Pai tem por você e reze com simplicidade e humildade pela libertação de seus pecados.

(Faça o sinal da cruz, respire profundamente e devagar. Quando soltar o ar, pronuncie a primeira das frases, depois respire novamente, pronuncie a outra e por fim a última. Faça três vezes a mesma sequência das três frases, o que totalizará nove preces.)

1. **Pai nosso, que por amor nos criaste;**
2. **Pai nosso, que nos salvaste em Jesus Cristo;**
3. **Pai nosso, libertai-nos das amarras do pecado.**

Conserve mais alguns instantes de oração espontânea. Termine essa prece com a oração completa do pai-nosso, da ave-maria, do Glória ao Pai e faça o sinal da cruz para encerrar.

Acesse o QR CODE e reze com o Padre Alex Nogueira!

Do egoísmo à comunhão

Ao dizer "**nosso**" quando se refere ao Pai, o suplicante reconhece que não é proprietário de Deus, mas, pelo contrário, é ele (Deus) que possui um povo. Todo ser humano pertence a Deus, e porque Deus tem um povo, os membros desse povo o chamam de Pai nosso. Quando se reza ao "nosso" Pai, visto que somos filhos por adoção, a oração é dirigida pessoalmente ao Pai de Jesus Cristo.

É importante ressaltar que não há divisão na divindade de Deus, há uma profunda comunhão entre o Pai, o Filho e o Espírito Santo, que são na Trindade um único Deus. A palavra "nosso" também remete a essa comunhão de amor da Santíssima Trindade, uma comunhão do "nós" das pessoas trinitárias.

O cristão que reza compreende o apelo da oração para que entre irmãos se viva a verdadeira unidade. Pelo batismo, todos foram unidos ao Cristo, mas infelizmente as comunidades ainda são marcadas por divisões e discórdias. Quem reza precisa, com grande esforço e confiando na graça de Deus, libertar-se do egoísmo e viver com disposição no amor que gera comunhão.

Nas orações realizadas nas redes sociais em nosso apostolado, sempre afirmo que rezamos "com você e por você". Tal realidade não faz da oração um ato individualista, embora muitas vezes o seja no âmbito particular da vida, mas abre o coração para viver a união espiritual que o batismo gerou entre os fiéis. Superar as feridas das divisões e viver congregados na unidade, eis um dos frutos da vida cristã autêntica.

O amor de Cristo nos uniu e só é possível vivê-lo num contexto de fé e esperança cristã. Rezar "Pai nosso" abre o coração para viver em comunhão, superar o egoísmo e dilatar o coração para amar a Deus e amar o próximo por vermos Jesus nele. Nós somos o novo povo de Deus e o chamamos de "Pai nosso" por pertencer a ele, ao Pai desse povo de irmãos. Não é um pai para um cristão apenas, mas para todos os cristãos, por isso não é "pai meu", mas "Pai nosso". Todos são filhos e, como irmãos uns dos outros, devem se amar e rezar fraternalmente uns pelos outros.

Hora de rezar

O egoísmo e a indiferença corroem o coração do cristão por dentro. Com sinceridade reze agora ao Deus amor que o liberte de tais pecados e plante em seu coração a comunhão e o amor.

(Faça o sinal da cruz, respire profundamente e devagar. Quando soltar o ar pronuncie a primeira das frases, depois respire novamente, pronuncie a outra e por fim a última. Faça três vezes a mesma sequência das três frases, o que totalizará nove preces.)

1. **Pai nosso, que é puro amor;**
2. **Pai nosso, fonte da comunhão;**
3. **Pai nosso, libertai-nos do egoísmo.**

Conserve mais alguns instantes de oração espontânea. Termine esta prece com a oração completa do pai-nosso, da ave-maria, do Glória ao Pai e faça o sinal da cruz para encerrar.

Acesse o QR CODE e reze com o Padre Alex Nogueira!

Pai nosso que estais nos céus

A palavra **transcender** significa algo que vai para além de alguma coisa. Ao afirmar que Deus transcende os critérios e parâmetros humanos, significa que ele é totalmente diverso, não é possível chegar a conhecê-lo se ele mesmo não se mostrar (revelar) aos seres humanos. Assim, Deus está para além de tudo, pois sua essência e natureza são próprias e não há outra igual.

Porém, mesmo em sua condição divina, Deus está no meio de nós, mora conosco, montou sua tenda entre nós. Alguns podem sustentar que ao dizer "que estais nos céus" seria afastar Deus deste mundo, visto que ainda não estamos no céu. Mas a intenção da oração é de fixar os nossos olhos na meta final, no alto, nas coisas de Deus, assim como afirma São Paulo aos Colossenses: "Se ressuscitastes com Cristo, buscai as coisas que são do alto, onde Cristo está sentado à direita de Deus. Afeiçoai-vos às coisas do alto e não às da terra. Porque estais mortos para essas coisas e vossa vida está escondida com Cristo em Deus" (Cl 3,1-3). Sabe-se que Deus não está contido apenas em um único lugar, visto que Salomão afirmou em seu discurso: "Se o céu e os céus dos céus não te podem conter, que dizer da casa que construí?" (1Rs 8,27). Porém, Deus está intimamente unido aos santos nos céus e quer que já busquemos na terra esta união íntima e restauradora na vida da graça. Essa verdade de fé tem implicações diretas e práticas aqui na terra, pois um cristão que guarda sua esperança no céu vive neste mundo segundo aquilo que acredita. O caminho se faz conforme Jesus ensinou, permanece na verdade e leva à vida do céu.

Por grande misericórdia, o ser humano pode participar do conhecimento de Deus, porque ele mesmo mostrou, e também pode participar de sua natureza divina, pois nos uniu a ele através de Jesus Cristo por graça. Quanta alegria saber que o transcendente, o mistério de Deus, ama e ensina a chamá-lo de Pai. Um Pai que adotou todos como filhos por meio de seu verdadeiro e legítimo Filho, Nosso Senhor Jesus Cristo, e nos quer todos reunidos no céu.

Diante do mistério de Deus, o ser humano tem apenas uma atitude: a de se ajoelhar, reverenciar e mergulhar no mistério celeste. Um autor inglês chamado G. K. Chesterton ao falar dos poetas e dos estudiosos da ciência e lógica em sua obra *Ortodoxia*, afirmou: "O poeta pretende apenas colocar a cabeça no Céu, enquanto o lógico se esforça por colocar o Céu na cabeça. E é a cabeça que acaba por estourar". Se a inteligência tem a pretensão orgulhosa de conhecer tudo sobre o céu, está cavando a própria ruína. Com Deus, mais que colocar o céu inteiro na mente, o ser humano é quem precisa mergulhar a mente inteira no mistério de Deus.

Para entrar na escola do conhecimento de Deus, deve-se cultivar um coração humilde, isso porque "escondestes estas coisas aos sábios e entendidos e as revelaste aos pequeninos" (Mt 11,25). A ocultação acontece aos olhos dos sábios orgulhosos e cheios de si mesmo. Eles não conseguem ver e conhecer Deus, pois ele é humilde e nasceu numa manjedoura, falou com simplicidade, é amor e não segue os padrões e esquemas deste mundo.

Deus é eternamente Pai, ele não é Pai porque alguém o chama desse modo, ele é Pai porque está eternamente em comunhão com o Filho no Espírito Santo. Antes mesmo de ser o Criador, isto é, de fazer qualquer criação, Deus já era Pai, no Filho e no Espírito Santo.

Escolha o caminho da humildade nesta escola, conheça o Deus que vai além de tudo o que vemos e compreendemos, surpreenda-se porque ele é tão simples e tão humilde. Liberte-se do orgulho e, com simplicidade, eleve sua prece ao Deus que é Pai Nosso e que está no céu.

Hora de rezar

Abandone-se numa confiança filial ao Pai que é nosso. Como filho inserido no povo que pertence a Deus Pai, reze e confie. A oração eleva o coração para as coisas divinas, em busca da meta final que é o céu. Nosso Pai, que está unido intimamente a todos os santos e anjos nos céus, quer que estejamos unidos a ele pela oração para que um dia também cheguemos aos céus.

(Faça o sinal da cruz, respire profundamente e devagar. Quando soltar o ar pronuncie a primeira das frases, depois respire novamente, pronuncie a outra e por fim a última. Faça três vezes a mesma sequência das três frases, o que totalizará nove preces.)

1. **Pai nosso, que estais nos céus;**
2. **Pai nosso, manso e humilde;**
3. **Pai nosso, fazei nosso coração semelhante ao vosso.**

Conserve mais alguns instantes de oração espontânea. Termine esta prece com a oração completa do pai-nosso, da ave-maria, do Glória ao Pai e faça o sinal da cruz para encerrar.

Acesse o QR CODE e reze com o Padre Alex Nogueira!

2

Santificado seja o Vosso nome

Após compreender que Deus é Pai eternamente, que por amor se revelou e assumiu a humanidade ao formar um povo para si, o Pai nosso, Pai de todo o povo, indica o céu como meta e fortalece o ser humano nessa busca, visto que permanece no meio de nós. Agora a oração do pai-nosso prossegue e o pedido é feito sobre o tema da santidade: "Santificado seja o vosso nome".

Aqueles que conscientemente desejam o céu querem viver na santidade, pois nela está o caminho para a eternidade com Deus. Quando se reza que o nome de Deus seja santificado, é retomado o conceito daquilo que é **sagrado**. Num mundo profano, que rejeita o Evangelho e coloca seus fundamentos apenas na razão e na ciência, o cristão precisa testemunhar sua consagração batismal, aquela que o levou a se tornar templo do Deus santo.

Reverenciar o que é verdadeiramente sagrado faz parte da natureza humana, e pedir que o nome de Deus seja santificado neste mundo é consequência natural de um coração carregado de fé e desejoso de se unir cada vez mais ao Pai nosso, àquele que leva para o céu. Neste capítulo esteja aberto a seguir, mediante o Espírito Santo, um caminho sincero de conversão.

Deus é santo, santo, santo

Na visão em que o profeta Isaías descobre sua vocação, anjos, denominados Serafins, aparecem para ele e clamam uns para os outros da seguinte forma: "Santo, santo, santo é o Senhor dos exércitos, sua glória enche toda a terra" (Is 6,3). Essa afirmação pronunciada pelo coro angélico expressa uma verdade de fé: Deus é verdadeiramente santo. Para enfatizar tal verdade, a mesma declaração é repetida três vezes, o que remete também à comunhão trinitária de Deus, um só Deus em três pessoas.

Na liturgia da Santa Missa, no rito latino, após o prefácio da oração eucarística, o povo aclama com todos os anjos e santos a verdade da santidade divina no cântico do "Santo". Após o canto acontece a transubstanciação, ou seja, o pão e o vinho se tornam o corpo e o sangue de Jesus quando o sacerdote pronuncia as palavras da consagração. O Deus santo vem até seu povo para que este viva na santidade e reconheça Deus como fonte dessa santidade.

Assim como a paternidade divina, a santidade de Deus é algo que transcende, ou seja, vai além das coisas deste mundo. Desse modo, não é o poder que torna

Deus santo: ele é Santo por essência. Essa santidade se manifesta na sua glória revelada a este mundo, porém, independente disso, de ter criado ou não as coisas, ele permanece santo por ser essa sua identidade.

Na tradição bíblica, ao se falar da santidade de Deus, aponta-se diretamente para a sua "glória". Como Deus está envolto por um mistério, a irradiação dele é sua glória. O céu e a terra estão cheios da glória de Deus, pois tudo é dele, para ele e com ele. Quando o sol brilha não se pode olhar para ele diretamente, a olho nu, mas seus raios refletidos nas coisas podem ser vistos, a glória de Deus é como os raios deste sol que aparece aos seres humanos por meio de Jesus Cristo, o revelador da glória do Pai.

Ao contemplar o mundo se vê o reflexo da glória de Deus. Ao lermos a Sagrada Escritura e nela contemplarmos os eventos da salvação, percebemos os sinais evidentes dessa glória divina que "explode" em santidade. Ao olhar para os dias vividos, faça um esforço de reconhecer quantas graças o Deus, três vezes santo, já realizou em sua história. Tudo isso é manifestação do amor divino. Evite ser um pessimista que não tem olhos para identificar os benefícios recebidos de Deus e agradecer por eles. Deus é santo e sua glória chega até nós. Bendito seja Deus por essa verdade de fé! Bendito seja Deus porque todos os dias concede os reflexos de sua glória para que, atraídos por eles, todos saibam buscá-lo com amor.

Hora de rezar

Dos lábios de quem reza nasce o louvor que bendiz a glória e a santidade de Deus, que é santo e não há ninguém como ele. Reze agora em atitude de ação de graças e glorificação a Deus.

(Faça o sinal da cruz, respire profundamente e devagar. Quando soltar o ar, pronuncie a primeira das frases, depois respire novamente, pronuncie a outra e por fim a última. Faça três vezes a mesma sequência das três frases, o que totalizará nove preces.)

1. **Bendito sejais por vossa glória;**
2. **Bendito sejais por vosso amor;**
3. **Santificado seja o vosso nome.**

Conserve mais alguns instantes de oração espontânea. Termine esta prece com a oração completa do pai-nosso, da ave-maria, do Glória ao Pai e faça o sinal da cruz para encerrar.

Acesse o QR CODE e reze com o Padre Alex Nogueira!

Por que santificar o que já é santo?

Saber que Deus é santo, envolto em um mistério, que é poderoso e misericordioso, não o afasta dos homens. Isso é uma ponte para reconhecer que, na profundidade de seu mistério, ele vem até a humanidade e quer revelar o tesouro de sua santidade na intimidade do coração humano. Deus disse a Moisés no Antigo Testamento: "Sede santos, porque eu sou santo, eu, o Senhor, vosso Deus" (Lv 19,2).

Se Deus é santo, por que a oração do pai-nosso pede que seja santificado o nome de Deus? Entenda-se que o sentido da palavra "seja santificado" não se refere a fazer uma prece para aumentar ou causar a santidade de Deus. Ele já é santo por essência, sua identidade é a santidade. É Deus quem santifica as pessoas e não o inverso. Dizer "seja santificado" funda-se no sentido da estima e reverência que devemos ter para com a santidade de Deus.

Se a santidade de Deus for reverenciada e existir um desejo de íntima união com ele, então, concretamente, essa petição da oração tem resultados na vida de quem reza, pois o orante deve viver na santidade ao testemunhar que o Deus seguido por ele é santo e o santifica. Se o nome do Deus santo habita na pessoa, ela deve mostrar a santidade de Deus refletida em sua vida.

Desse modo, Deus já é completamente santo e, quando se reza "santificado seja o vosso nome", pede-se que a vida de quem reza se torne santa pelo poder de Deus. No combate diário pela busca da santidade, o fiel, por seu testemunho, mostra a santidade de um Deus que lhe santifica. O convite desta parte da oração é para viver em coerência com o que é rezado. Deus santifica o fiel a cada dia conforme sua providência, basta que a pessoa esteja disposta a combater o pecado e a lutar por uma vida digna de santidade.

A santidade precisa ser a meta de todo cristão. Quando a pessoa reza apoiada na santidade de Deus, é preciso romper com a preguiça e o pessimismo que a paralisam na busca pela santidade. Há muitos que estão anestesiados pela seguinte ideia: "ser santo é coisa para padre ou beatos que não saem da Igreja". Isso não é verdade, pois santidade é vocação de todo batizado.

Por isso, deve haver esforço de todo fiel, sempre pela via da humildade, na busca por confiar que essa santidade só chegará pela graça de Deus e no tempo que ele quiser. O que não diminui o compromisso da pessoa em diariamente se dispor às práticas santificadoras da graça divina, sobretudo nas virtudes da fé, esperança e caridade. Decida-se com determinação pela trilha da santificação e saiba que com seu testemunho o nome de Deus é honrado e é santificado diante da humanidade.

Hora de rezar

A oração é o encontro íntimo com o Deus santo que santifica o ser humano. Por isso, reze com confiança e humildade clamando a santidade do nome de Deus em sua vida.

(Faça o sinal da cruz, respire profundamente e devagar. Quando soltar o ar, pronuncie a primeira das frases, depois respire novamente, pronuncie a outra e por fim a última. Faça três vezes a mesma sequência das três frases, o que totalizará nove preces.)

1. **Santificado seja o vosso nome;**
2. **Santificai a nossa vida;**
3. **Santificai as nossas decisões.**

Conserve mais alguns instantes de oração espontânea. Termine esta prece com a oração completa do pai-nosso, da ave-maria, do Glória ao Pai e faça o sinal da cruz para encerrar.

Acesse o QR CODE e reze com o Padre Alex Nogueira!

O nome de Jesus é santo

Se Deus revelou a sua santidade no Antigo Testamento, no Novo Testamento, com a vinda de seu Filho, Deus revelou um nome que é Santo. Este nome é o de "Jesus", anunciado pelo Arcanjo Gabriel à Virgem Maria no momento da anunciação: "Conceberás e darás à luz um filho, ao qual porás o nome de Jesus" (Lc 1,31).

Deus revelou-se a Moisés: "Eu sou Aquele que Sou" (Ex 3,14). Desse modo, o nome de Deus no chamado tetragrama sagrado, ou seja, nas quatro letras consoantes da língua hebraica que expressavam essa revelação feita a Moisés (Eu Sou), era pronunciado apenas uma vez ao ano pelo sumo sacerdote com intenção de expiar os pecados do povo de Israel. O nome de Deus sempre foi invocado com objetivo de receber misericórdia e encontrar a salvação para as pessoas. Este nome é poderoso e quando clamado com confiança traz para seu povo a clemência de Deus.

O nome de Jesus significa "*Deus salva*" e vem da língua hebraica. Com a encarnação do Filho de Deus, agora há um nome de uma pessoa divina que foi revelado, o qual deve ser invocado por todos, que, por sua vez, buscam a salvação neste nome. Assim afirma o livro dos Atos dos Apóstolos: "E em ninguém mais se encontra a salvação; pois debaixo do céu não foi dado aos homens outro nome pelo qual possamos ser salvos" (At 4,12).

Existe uma exclusividade no nome de Jesus, pois somente por ele se encontra a salvação. É em nome dele que os discípulos operam milagres e os demônios são expulsos. O diabo tem horror a esse nome, pois é o da segunda Pessoa divina da Santíssima Trindade. É também no nome de Jesus que se encontra a ponte de que os homens necessitam para elevarem seu pedido a Deus. Por tudo isso, diz-se que o nome de Jesus é "doce", isto é, porque com docilidade e amor Deus revelou seu nome para que os fiéis que nele acreditarem sejam levados à doçura do amor misericordioso do Pai.

No centro da oração da ave-maria, reza-se "bendito o fruto do vosso ventre, Jesus". Isso porque é doce o nome de Jesus que nasceu do ventre virginal de Maria, também é doce o nome daquela que humildemente carregou no seio o doce menino que traz a salvação. Os que querem rezar frutuosamente precisam aceitar a docilidade do nome de Jesus e de Maria, pelos quais são amolecidos os corações mais duros e indiferentes.

Trazer sempre nos lábios o nome de Jesus, com reverência e piedade, é expressão de confiança e caminho de santidade. Pelo nome de Jesus todos são santificados por pura graça, sem nenhum tipo de pagamento. Diversos cristãos terminaram suas vidas balbuciando com confiança o nome de Jesus. Não importa a idade, todos devem, com um coração de criança, chamar com fé pelo nome de Jesus.

Embora a petição do pai-nosso esteja direcionada especificamente à santidade do nome do Pai, fica evidente que o Pai se revelou à humanidade pelo Filho que é uma Pessoa divina cujo nome salva e santifica. Portanto, na força do nome de Jesus é exercida a súplica para que seja santificado seu nome na vida dos que têm fé. O nome de Jesus é para a glória de Deus Pai, visto que há uma íntima comunhão Trinitária pelo Espírito Santo. A carta aos Filipenses expressa: "Para que, ao Nome de Jesus, se dobre todo joelho no céu, na terra e debaixo da terra, e toda língua proclame, para a glória de Deus Pai: 'Jesus Cristo é o Senhor!'" (Fl 2,10-11).

Hora de rezar

Confiar e orar, eis o caminho para santificar a vida daquele que invoca o nome de Jesus. Com essa certeza, abra seu coração para oração. Procure pronunciar o nome de Jesus sempre com amor e reverência. Evite pensar que seja algo mágico ou supersticioso, mas sim algo divino e sublime que abre a alma para as delícias das coisas celestes.

(Faça o sinal da cruz, respire profundamente e devagar. Quando soltar o ar, pronuncie a primeira das frases, depois respire novamente, pronuncie a outra e por fim a última. Faça três vezes a mesma sequência das três frases, o que totalizará nove preces.)

1. **Santificado seja o vosso nome;**
2. **Jesus, salvai-nos;**
3. **Jesus, santificai-nos.**

Conserve mais alguns instantes de oração espontânea. Termine esta prece com a oração completa do pai-nosso, da ave-maria, do Glória ao Pai e faça o sinal da cruz para encerrar.

Acesse o QR CODE e reze com o Padre Alex Nogueira!

Não tomar seu santo nome em vão

O segundo mandamento da lei de Deus revelada a Moisés no Monte Sinai pede: "não tomarás em vão o nome do Senhor, teu Deus" (Ex 20,7). A palavra "tomar" é empregada no sentido de utilizar, pronunciar o nome de Deus, seja com finalidade "vã", isto é, vazia; falsa ou sem reverência e necessidade.

Esse ensinamento se refere à veneração que o ser humano deve ter para com o nome de Deus. É próprio do ser humano se comunicar, seja pela fala, seja com qualquer outra forma de linguagem, por isso o uso da palavra para as coisas santas deve comportar respeito. Quando se fala do nome de Deus, não é um nome qualquer, mas o do Deus santo, que entregou seu nome aos que nele acreditam para que tenham maior intimidade com ele.

Há muitos abusos com o nome de Deus. Alguns proferem blasfêmias carregadas de ódio e ofensa contra Deus. Outros fazem promessas em seu nome e são totalmente infiéis ao que prometeram. Há os que proferem pragas usando o nome de Deus ou o utilizam de forma mágica como se fosse um amuleto. Esses, e outros casos mais, são incompatíveis com a vida daquele que tem ou que busca a verdadeira fé.

A santidade do nome de Deus é tão infinita e respeitada que o povo de Israel não ousava pronunciar seu nome (*Iahweh*), por isso o guardava com tamanho respeito e cuidado. Na leitura das escrituras, o nome *Iahweh* é substituído por "Senhor", que no hebraico é *Adonai* e no grego é *Kyrios*. Sendo Jesus o Filho de Deus, ele é chamado de Senhor, título próprio da Pessoa divina.

Ao rezar "santificado seja o vosso nome", tal prece deve despertar reverência e piedade para com o nome de Jesus, Maria, dos santos e anjos no coração do orante. Jurar falsamente, invocando Deus como testemunha, é um pecado de perjúrio. O cristão inspirado na fidelidade de Deus deve ser fiel às promessas de seu batismo e vivê-las na verdade, longe da mentira e falsidade.

Hora de rezar

A oração se faz na sinceridade e por isso não cabe esconder de Deus as misérias e ofensas que foram feitas. Olhe para a fidelidade de Deus, arrependa-se de suas infidelidades, blasfêmias, perjúrios e ofensas proferidas contra as coisas santas. Deus é fiel e lhe guardará em seu amor misericordioso.

(Faça o sinal da cruz, respire profundamente e devagar. Quando soltar o ar, pronuncie a primeira das frases, depois respire novamente, pronuncie a outra e por fim a última. Faça três vezes a mesma sequência das três frases, o que totalizará nove preces.)

1. **Deus é fiel;**
2. **Ó Deus, perdoai nossa infidelidade;**
3. **Santificado seja o vosso nome.**

Conserve mais alguns instantes de oração espontânea. Termine esta prece com a oração completa do pai-nosso, da ave-maria, do Glória ao Pai e faça o sinal da cruz para encerrar.

Acesse o QR CODE e reze com o Padre Alex Nogueira!

A santidade daquele que reza

Aquele que reza coloca seu espírito na presença do "Deus Santo" e por isso não frutificará na oração se não for humilde e reconhecer sua pequenez diante do sagrado. Na manifestação de Deus na sarça ardente, é dito para Moisés: "Tira as sandálias dos teus pés, porque o lugar onde estás é uma terra santa" (Ex 3,5). A busca pela santidade por meio da oração se faz no caminho da humildade, no qual se deve tirar as sandálias dos pés: as sandálias do orgulho, da vaidade, da inveja e de tantos outros pecados que acorrentam, aprisionam e corroem o orante.

Seria incoerente se a pessoa que reza dissesse contemplar a santidade do nome de Deus e se esquecesse de lutar por sua santidade, de estender a mão ao próximo para também ajudá-lo nesse caminho. A busca pela santidade não é uma atitude egoísta, na qual há preocupação exclusiva consigo mesmo e o outro é tratado com indiferença. O verdadeiro discípulo de Jesus reza para que o nome de Deus seja santificado em todos, inclusive nos inimigos.

É pela santidade do nome de Deus que todos são santificados, por isso na oração do pai-nosso se pede que o nome de Deus seja santificado na vida de quem reza. O *Catecismo da Igreja Católica* ensina no parágrafo 2814: "Pois, se vivermos bem, o nome divino é bendito;

mas, se vivermos mal, ele é blasfemado, segundo a palavra do Apóstolo: 'o nome de Deus é blasfemado entre as nações por causa de vós' (Rm 2,24)".

Essa realidade é resumida em duas palavras: coerência e testemunho. Rezar ao Pai nosso desperta luta constante contra a incoerência e a falta de testemunho. O espírito de farisaísmo, preocupado exclusivamente com questões exteriores, esquece de alinhar as intenções do coração com uma vida segundo os mandamentos de Deus: pela força da graça de Deus, ele precisa ser extirpado por aquele que reza.

"Sede santos em toda a vossa conduta, assim como é santo aquele que vos chamou" (1Pd 1,15). Esse pedido de São Pedro recorda uma vocação ligada diretamente ao sacramento do batismo, pois quem foi lavado pelas águas batismais sabe que seu proceder deve ser na busca sincera pela santidade e que somente Deus poderá conceder tal graça.

Hora de rezar

Faça uma avaliação de sua vida e descubra onde estão suas incoerências, falta de disposição por lutar pela santidade, vícios que lhe aprisionam. Com reta intenção peça ao Deus santo que o nome dele seja santificado em sua vida, dando a ela novo rumo.

(Faça o sinal da cruz, respire profundamente e devagar. Quando soltar o ar, pronuncie a primeira das frases, depois respire novamente, pronuncie a outra e por fim a úl-

tima. Faça três vezes a mesma sequência das três frases, o que totalizará nove preces.)

1. **Santificado seja o vosso nome;**
2. **Santificada seja a nossa vida;**
3. **Santificados sejam os nossos irmãos.**

Conserve mais alguns instantes de oração espontânea. Termine esta prece com a oração completa do pai-nosso, da ave-maria, do Glória ao Pai e faça o sinal da cruz para encerrar.

Acesse o QR CODE e reze com o Padre Alex Nogueira!

3

Venha a nós o vosso Reino

Ao dizermos "venha a nós o vosso Reino", qual o reino invocado nesta oração? Sabe-se que é o Reino de Deus, uma vez que a petição é em seu início dirigida ao Pai, que é nosso Deus. Sendo o Reino de Deus algo tão profundo e grandioso, foi necessário que Jesus ensinasse ao povo sobre esse Reino por meio de parábolas, ou seja, comparações que tem a intenção de expressar significados profundos através de situações simples da vida humana.

O Reino de Deus é um mistério e por isso Jesus revela essa realidade que seria inacessível à humanidade sem ele. Sendo um mistério, no capítulo treze do Evangelho de São Mateus, Jesus conta a parábola da semente e dos terrenos onde cai a semente, do joio e do trigo, do grão de mostarda, do fermento na massa, do tesouro escondido, da pérola preciosa e da rede lançada ao mar que pesca bons e maus peixes.

Todas essas parábolas exprimem a simplicidade do Reino de Deus e como ele se manifesta na vida das pessoas que se decidiram por esse Reino. Buscá-lo é uma aventura para o fiel, pois precisará da determinação do colecionador de pérolas; da disposição de procurar o tesouro; da paciência para esperar a colheita do bem, a dissipação do mal; e, por fim, de um coração que possua terra boa para colher a Palavra deste Reino. Assim, aventure-se na oração pela vinda do Reino de Deus na humanidade e na sua vida!

O que é um rei?

Há na teoria política diversas formas de organização da sociedade e seu governo. Uma das formas, e de grande impacto na história, é a chamada monarquia. Nessa organização há um rei, senhor de todo o reino, proprietário e responsável por administrar de forma soberana as pessoas e coisas em seu território.

Associar Deus com a figura de um rei pode parecer mais difícil em países onde não há rei e monarquia. Porém, dessa ideia de rei terreno, é preciso extrair elementos essenciais para compreensão do Reino de Deus. O primeiro elemento é o senhorio que o rei exerce nos limites de seu território (jurisdição), visto que detêm todo o poder de julgar, fazer leis e ordenar a execução de resoluções práticas. Um segundo elemento está no respeito e compromisso que os súditos (habitantes do território do rei) expressam para com o seu rei, sendo fiéis a suas ordens.

Essas duas realidades, poder do rei e fidelidade dos servos (súditos), pode ser aplicada na relação com Deus, guardadas as devidas ressalvas, sobretudo por aquelas imagens corruptas de reis que a história já viu. Deus é infinitamente poderoso e conferiu ordem a todas as coisas de forma a manifestar a sua glória. Os seres humanos, criados por amor e restaurados por Cristo neste mesmo amor divino, são servos fiéis e humildes do reinado de Deus. Um servo orgulhoso e soberbo não será fiel ao seu rei, pois terá dificuldades de reconhecer o poder real, já o servo humilde e reverente tem capacidade de ser fiel e colaborar diretamente com a obra executada pelo rei.

O povo de Israel, desde o início de sua formação, reconhece o cuidado e os prodígios realizados por Deus para que habitassem na terra prometida. Lá se organizaram inicialmente em tribos e por séculos tinham como único rei o próprio Deus. Os mandamentos entregues por Deus a Moisés eram a alma desse povo que seguia seu único Deus e Rei.

Deixar Deus ser Rei no coração humano é uma decisão sincera e diária, porém que implica consequências. Pois, se a pessoa possui um rei, deve ser fiel cumpridora dos desígnios dele. Fidelidade, humildade e reverência são atitudes dos que reconhecem Deus como seu único Rei. Quais dessas atitudes ainda não estão presentes na sua vida?

Hora de rezar

Deus é Rei, e o amor é a sua lei. Ser fiel ao amor do Pai Eterno, respeitar o seu nome e ser um humilde servo são disposições para um coração que quer rezar e viver no reinado de Deus.

(Faça o sinal da cruz, respire profundamente e devagar. Quando soltar o ar, pronuncie a primeira das frases, depois respire novamente, pronuncie a outra e por fim a última. Faça três vezes a mesma sequência das três frases, o que totalizará nove preces.)

1. **Venha a nós o vosso Reino;**
2. **Venha a nós a fidelidade;**
3. **Venha a nós a humildade.**

Conserve mais alguns instantes de oração espontânea. Termine esta prece com a oração completa do pai-nosso, da ave-maria, do Glória ao Pai e faça o sinal da cruz para encerrar.

Acesse o QR CODE e reze com o Padre Alex Nogueira!

Deus envia um rei para Israel

O povo que chegou à terra prometida, ao observar as outras nações e suas organizações, num período de sua história, pede um rei a Deus. Os anciãos do povo se dirigiram a Samuel e pediram: "Dá-nos, então, um rei que nos governe, como o têm as outras nações" (1Sm 8,5). A princípio, querer um rei neste mundo era compreendido como a recusa e afronta ao reinado de Deus na vida de seu povo.

Mas Deus poderia conceder ao povo um rei que fosse seu instrumento, ministro do próprio Deus que é o verdadeiro rei. Desse modo, entre os oito filhos de Jessé, o último deles era Davi. Samuel deveria ungir aquele que Deus escolheu, e o critério para escolha foi: "Não te impressiones com sua aparência nem com sua estatura, pois este eu excluí. Não é como os homens veem que Deus vê, pois o homem vê a aparência; o Senhor, porém, vê o coração!" (1Sm 16,7). Por tal critério, Deus concedeu ao povo o rei Davi: "O Senhor já escolheu o varão segundo o seu coração e o fez príncipe sobre o seu povo" (1Sm 13,14).

O rei Davi foi ungido por Samuel. O ato de ungir com o óleo significa a entrega do Espírito do Senhor àquele que foi ungido. A Davi e sua linhagem Deus fez uma promessa, a qual foi cumprida plenamente em Jesus

Cristo. Através do profeta Natã, Deus estabelece: "Eu firmarei o seu trono real para sempre. Eu serei para ele um pai e ele será para mim um filho" (2Sm 7,13-14); "A tua casa e a tua realeza durarão para sempre diante de mim; o teu trono será inabalável para sempre" (2Sm 7,16). Essa promessa e aliança de Deus referente à casa de Davi é intensamente aguardada pelo povo de Israel. Considerando que a linhagem de Davi vê o declínio do reino unido e constituído por Deus. A divisão chegou e a espera por um trono estável e seguro ardia no coração do povo.

Para que um reino permaneça, ele precisa estar unido; para que um cristão permaneça no caminho da salvação, ele precisa estar unido intimamente a Deus e amar os que estão ao seu redor. Famílias se dividem, amigos se separam, reinos se desmontam, mas a pessoa que reza descobre em Deus sua segurança e sabe que com ele poderá encontrar a unidade novamente. Quais coisas, decisões ou pessoas têm dividido sua vida? Como, fundamentando-se no amor, é possível buscar a unidade?

Hora de rezar

A unidade de um reino, de um coração e de uma família deve ser buscada no Espírito Santo. Essa graça é alcançada por meio da oração. Mas, para que isso ocorra, será necessário romper com suas atitudes que geram divisão, seja em você mesmo ou em relação às pessoas com quem convive.

(Faça o sinal da cruz, respire profundamente e devagar. Quando soltar o ar, pronuncie a primeira das frases, depois respire novamente, pronuncie a outra e por fim a última. Faça três vezes a mesma sequência das três frases, o que totalizará nove preces.)

1. Venha a nós o vosso Reino;
2. Venha a nós a união;
3. Venha a nós o vosso Espírito.

Conserve mais alguns instantes de oração espontânea. Termine esta prece com a oração completa do pai-nosso, da ave-maria, do Glória ao Pai e faça o sinal da cruz para encerrar.

Acesse o QR CODE e reze com o Padre Alex Nogueira!

Jesus é Rei

Como a linhagem de Davi perdera a força em meio às divisões e atitudes contrárias à Lei de Deus, restou ao povo esperar com confiança o cumprimento da promessa da vinda do Messias, o que estabeleceria o novo reinado de Deus. O Evangelho de São Mateus afirma com clareza que Jesus vem de uma família cuja ascendência está ligada ao rei Davi.

O anjo aparece a São José em sonho e lhe chama: "José, filho de Davi, não tenhas medo" (Mt 1,20). Embora Jesus não venha da descendência de sangue de José, ele agora é reconhecido como filho de uma família cuja linhagem descende de Davi. Em diversas passagens dos Evangelhos, Jesus é chamado pelo título messiânico de Filho de Davi. Tais referências não levam a outra conclusão senão a de que Jesus é o cumprimento das promessas de um reinado eterno.

Na última semana de sua vida neste mundo, Jesus entra em Jerusalém aclamado pelo povo como um rei. Após ser preso, Jesus é questionado por Pilatos se ele é o Rei dos judeus. "Jesus respondeu: 'Meu reino não é deste mundo. Se meu reino fosse deste mundo, meus guardas teriam combatido para que eu não fosse entregue aos judeus. Mas meu reino não é daqui'" (Jo 18,36). Embora o reino de Jesus não seja deste mundo, ele, Jesus, chegou a nós no mundo para levar-nos definitivamente para o céu.

Seria um equívoco agir como se nada do reino de Deus precisasse ser construído em meio à humanidade. Pelo contrário, como Jesus, que anunciou o reino de Deus sendo ele mesmo o Senhor desse reino, encarnou-se e veio até o mundo, também os seus seguidores devem levar, com a força da graça, o próprio Jesus através de um apostolado eficaz em meio a este mundo. Por hora estão no mundo, porém os cristãos não pertencem ao mundo, conforme afirma Jesus na última ceia: "Não te peço que os tires do mundo, mas que os guardes do Maligno. Eles não são do mundo, como eu não sou do mundo" (Jo 17,15-16).

Todo o universo foi criado por Deus, ele é o Senhor de tudo; por conta disso, levar o Evangelho implica reconhecer que Jesus Cristo é o Rei do Universo e todos os governos e pessoas precisam ouvir sua voz. A ordem de Jesus ressuscitado "Ide, então, e fazei de todos os povos discípulos, batizando-os em nome do Pai, do Filho e do Espírito Santo" (Mt 28,19) não reivindica para Jesus um governo direto de todos os povos, mas sim que todos os povos, inclusive os governantes, tornem-se discípulos e atendam à soberania suprema de Jesus Cristo.

Jesus é verdadeiramente o Rei esperado pelo povo de Israel, embora não tivesse as características que alguns grupos acreditavam que deveria ter. O reinado de Cristo é espiritual, pois a sua Verdade começa nos corações dóceis e transborda na sociedade, visto que, onde vivem pessoas de fé, o ambiente social é moldado de acordo com a fé. Jesus veio ao mundo para dispensar aos homens um reino da graça. Será que minhas atitudes demonstram que escolhi este reino da graça?

Hora de rezar

Venha a nós o Reino de Jesus, o Reino que não admite um coração dividido. Um Reino em que as inteligências são iluminadas pela verdade e onde não há espaço para a mentira. Um Reino em que o Rei nos chama para morar no palácio real de seu Sagrado Coração. Não dê as costas a esse Rei amoroso que chama por nós e preenche a alma.

(Faça o sinal da cruz, respire profundamente e devagar. Quando soltar o ar, pronuncie a primeira das frases, depois respire novamente, pronuncie a outra e por fim a última. Faça três vezes a mesma sequência das três frases, o que totalizará nove preces.)

1. **Venha a nós o Rei Jesus;**
2. **Venha a nós a vossa Verdade;**
3. **Venha a nós o vosso Reino.**

Conserve mais alguns instantes de oração espontânea. Termine esta prece com a oração completa do pai-nosso, da ave-maria, do Glória ao Pai e faça o sinal da cruz para encerrar.

Acesse o QR CODE e reze com o Padre Alex Nogueira!

A Igreja, o Reino de Cristo em mistério

Visto que Jesus é Rei, o Reino de Cristo neste mundo é identificado em mistério com a Igreja. Assim ensina o documento chamado *Lumen gentium* do Concílio Vaticano II no parágrafo terceiro: "E Cristo, para cumprir a vontade do Pai, inaugurou na terra o reino dos céus, cujo mistério nos revelou; e pela sua obediência, operou a redenção. A Igreja, isto é, o reino de Cristo já presente em mistério, cresce visivelmente no mundo pelo poder de Deus". Na Igreja são distribuídos os sete sacramentos, os quais sensivelmente manifestam os atos do próprio Cristo realizados pela Igreja.

Desse modo, Cristo continua a perdoar, curar, acolher, exorcizar, e unir, através da sua Igreja, visto que ela é "sinal e instrumento da união íntima com Deus e da unidade de todo o gênero humano" (*Lumen gentium*, n. 1). Como a Igreja é um mistério não explicado totalmente por conceitos humanos, diversas são as imagens que apontam para seu significado, entre elas a de povo de Deus, corpo de Cristo, redil, e campo de Deus. Todas as imagens que representam a Igreja devem sempre mostrar a conexão íntima entre Cristo, o Reino e a Igreja.

São João Paulo II ensinou na encíclica *Redemptoris missio* (n. 18): "De igual modo, não podemos separar o Reino da Igreja. Com certeza que esta não é fim em si própria, uma vez que se ordena ao Reino de Deus, do qual é princípio, sinal e instrumento. Mesmo sendo distinta de Cristo e do Reino, a Igreja, todavia, está unida indissoluvelmente a ambos".

A Igreja é o lugar propício deixado por Cristo para unir os batizados a ele. Pelos sacramentos e sacramentais nasce um terreno fecundo para que o Reino de Deus cresça e frutifique. Infelizmente, por diversos motivos, há pessoas que relativizam a Igreja Católica, afastam-se dela e justificam servir a Deus independente de qual seja a religião. As pessoas são livres em suas concepções, porém é preciso reconhecer que Cristo instituiu uma só Igreja sob a direção dos Apóstolos, entregou-se por ela no alto da Cruz para que a Igreja seja sinal e instrumento de salvação para toda a humanidade. "Pois, também eu te digo: tu és Pedro, e sobre esta pedra edificarei a minha Igreja, e as forças diabólicas não poderão vencê-la" (Mt 16,18).

Alguns podem acusar que na Igreja Católica existem escândalos e discórdias; não discordamos disso, porém, a Igreja é santa porque é corpo de Cristo, não pela condição de seus membros. Lembremos que Judas Iscariotes participou da última ceia, foi instituído por Jesus como Apóstolo e também gerou escândalo com sua traição. O próprio Pedro, por ainda não estar fortalecido o suficiente, chegou a negar o Mestre. Esperar que os membros da Igreja sejam impecáveis para depois participarmos dela é uma ilusão criada na mente humana que só aprisiona a pessoa em si mesma.

Nessa mesma prisão, além da pessoa não se dispor a procurar os sacramentos na Igreja, ela também realiza julgamentos desnecessários sobre os que frequentam a Igreja. Olhe para a seguinte verdade: Jesus fundou uma Igreja, entregou-se por ela e continuamente espera por você para curar sua alma através dos sacramentos. Vale a pena abandonar essa verdade, fugir da participação da Igreja, tudo isso porque há pessoas que pecam e causam escândalos? Claro que não se quer justificar e defender os eventuais escândalos que aconteçam, mas abandonar a Igreja por conta de afetos interiores revoltosos e decepções é trocar um tesouro valioso de salvação (Cristo presente na Igreja) pela própria opinião, o que pode levar à perdição (ideias obstinadas e revoltosas contra o pecado dos outros).

Não cabe a nenhum cristão compactuar com quem permaneça no pecado, porém usar o estado de pecado dos que participam da Igreja como justificativa para não ir até a comunidade é imprudência da pessoa que quer o Reino de Deus. Cure o seu coração, perdoe se outros lhe ofenderam dentro da Igreja, reze por aqueles que cometem escândalo e, se estiver ao seu alcance, ofereça ajuda direta aos que erram. A Igreja Católica é a casa dos batizados, se você se afastou dela, volte para a sua casa. Ali encontrará o mistério do Reino de Deus intimamente ligado à Igreja.

Pedir que "venha a nós o vosso Reino" é saber que ele está no meio de nós, e a Igreja Católica possui todos os elementos necessários para que esse Reino cresça no coração humano e na sociedade. Vá à Igreja movido por sua fé no Cristo que por todos se entregou, morreu, ressuscitou e subiu ao céu. Não fuja de Cristo e sua Igreja, pois isso seria trocar o certo pelo duvidoso. Cremos na Igreja, Una, Santa, Católica e Apostólica, por isso sabemos que nela está a segurança para recebermos tudo o que é necessário para a nossa salvação.

Hora de rezar

Rezar "Venha a nós o vosso Reino" requer de nós atos de fé na esplêndida obra de Cristo no mundo, que é sua Igreja, sinal e instrumento de salvação para todos os povos. Reze com fé e amor para que nossa união à Igreja conduza cada vez mais à união com o próprio Cristo que a sustenta.

(Faça o sinal da cruz, respire profundamente e devagar. Quando soltar o ar pronuncie a primeira das frases, depois respire novamente, pronuncie a outra e por fim a última. Faça três vezes a mesma sequência das três frases, o que totalizará nove preces.)

1. **Venha a nós o vosso Reino;**
2. **Venha a nós a fé no Cristo;**
3. **Venha a nós o amor à Igreja.**

Conserve mais alguns instantes de oração espontânea. Termine esta prece com a oração completa do pai-nosso, da ave-maria, do Glória ao Pai e faça o sinal da cruz para encerrar.

Acesse o QR CODE e reze com o Padre Alex Nogueira!

A vinda do Reino de Deus

Deus veio uma primeira vez ao mundo mediante a encarnação de Jesus no seio puríssimo da Virgem Maria. Ensinou sobre o Reino de Deus, instituiu a sua Igreja e permanece no meio de nós. É elemento da fé católica afirmar que este mesmo Jesus, "há de vir para julgar os vivos e os mortos". Por isso, invocar a vinda do reino na oração do pai-nosso significa alimentar a esperança na segunda vinda de Cristo.

A segunda vinda marcará o fim daquilo que é chamado de "tempo". O tempo acabará, não existirá mais passado, presente e futuro, pois todos seremos transportados para a eternidade. O período intermediário que vive o mundo hoje, entre a primeira e a segunda vinda de Cristo, é chamado de "últimos tempos" porque o tempo acabará quando Cristo voltar. Nesse sentido, vive-se hoje os últimos tempos e se aguarda com bendita esperança a vinda definitiva do Reino de Deus.

Enquanto se aguarda neste mundo a vinda de Cristo, a graça de Deus deve reinar nos corações humanos. Pelo batismo, a pessoa é regenerada e recebe a graça que santifica. Nos caminhos da existência pessoal, muitos se afastam da vida na graça de Deus e livremente criam uma inimizade com o doador de toda graça. Aguardar a vinda do reino não pode gerar atitude de comodismo e preguiça espiritual, mas uma busca incansável por permanecer no palácio do Coração de Jesus. Devemos nos unir a ele pelas virtudes da fé, esperança e caridade, pois essas virtudes permitem que Cristo reine na inteligência, na vontade e nos sentimentos do ser humano.

Após a subida de Jesus para o céu, as testemunhas ficaram olhando para o alto e foram advertidas: "Homens da Galileia, por que estais aí parados olhando para o céu? Este Jesus, que foi levado do meio de vós para o céu voltará do mesmo modo que o vistes subir" (At 1,11). O cristão parado, ou paralisado, precisa implorar a vinda do Espírito Santo para colocá-lo em movimento novamente. Deve movimentar-se para buscar as virtudes e fazer crescer entre as pessoas a justiça e a paz. Movimentar-se no amor que leva a servir a Deus e ao próximo. Esforçar-se por esperar a vinda do Reino definitivo de Jesus, com coerência sobre o que é a fé. Não deve deixar-se paralisar pelo egoísmo e pelo orgulho, cuja única referência é a própria pessoa; mas se abrir à humildade, ao serviço dos rostos necessitados, à promoção dos sinais do Reino de Cristo que continua no meio de nós pela Igreja e que virá plenamente no fim dos tempos.

Hora de rezar

Venha a nós a força do Espírito Santo, que sustenta e une os corações humanos à intimidade do Rei Jesus; força que impulsiona ao amor e ao serviço, que frutifica em dons e virtudes sobrenaturais. Esse reino vem, e com quais atitudes você o espera?

(Faça o sinal da cruz, respire profundamente e devagar. Quando soltar o ar, pronuncie a primeira das frases, depois respire novamente, pronuncie a outra e por fim a última. Faça três vezes a mesma sequência das três frases, o que totalizará nove preces.)

1. **Venha a nós o vosso Reino;**
2. **Venha a nós o vosso Espírito;**
3. **Venha a nós a prontidão em servir.**

Conserve mais alguns instantes de oração espontânea. Termine essa prece com a oração completa do pai-nosso, da ave-maria, do Glória ao Pai e faça o sinal da cruz para encerrar.

Acesse o QR CODE e reze com o Padre Alex Nogueira!

4

Seja feita a vossa vontade assim na terra como no céu

Pedir que a vontade de Deus seja feita requer acreditar como verdade de fé que a vontade dele é infinitamente perfeita e exclusivamente inclinada para o bem. Deus jamais pode querer ou fazer coisas más, uma vez que ele é um ser perfeitíssimo e unicamente bom.

Apoiado nessa verdade, pode o homem, com confiança, abandonar-se à vontade de Deus mesmo sem ter total conhecimento de como será realizada. Se Deus quer sempre o bem, escolher pela vontade de Deus é responder ao mais profundo anseio da vontade humana: a busca pelo bem.

Todos, no uso natural de sua vontade, querem o bem e o buscam através da luz da verdade que ilumina a inteligência. Pedir que se cumpra a vontade de Deus, a qual não é muitas vezes a nossa vontade, é um ato de fé e de verdadeiro amor a Deus. Quanto mais se ama a Deus, mais se pede para cumprir com sua vontade, não por ritualismo ou costume, mas por uma decisão sincera e amorosa da vontade.

Este pedido do pai-nosso exigirá do fiel um grande esforço de contrariar as paixões e vontades desordenadas presentes nele, para discernir qual a vontade de Deus e como executá-la na vida. Só com o Espírito Santo isso será possível, por isso contamos com sua ação com o objetivo de rezar bem essa oração ensinada pelo Senhor.

Qual é a vontade de Deus?

Todas as pessoas de fé, em algum momento da vida, depararam-se com situações em que surge a pergunta: "Qual a vontade de Deus neste momento?". Quando o fiel passa por um momento de decisão importante, tem o desejo interior de querer fazer a vontade de Deus. Mas como fazer a vontade dele sem saber que vontade é essa?

Deus, em seu infinito amor, revelou toda a sua vontade na pessoa de Jesus Cristo, por isso conhecer os mandamentos do Mestre é conhecer a sua vontade em relação a nós. É verdade que talvez você tenha uma decisão muito particular para tomar e quer agir segundo a vontade de Deus. Nesse caso, avalie sempre à luz do amor ensinado por Jesus, dos dez mandamentos revelados por Deus e pelo conselho de santos e pessoas de fé sincera.

Não espere que Deus descerá do céu novamente para lhe dizer qual é a vontade dele, isso porque ele veio a primeira vez e já entregou à humanidade o conhecimento sobre sua vontade. Deus quer que todos se salvem e cheguem ao conhecimento da verdade, por essa razão deixou na Igreja Católica seus mandamentos e sacramentos. Discernir qual é a vontade de Deus passa por avaliar se aquilo que será decidido está de acordo com o amor ensinado por Jesus e por seus mandamentos. Sendo que Jesus já revelou qual é a vontade de Deus, basta vivê-la.

Por diversas vezes Deus também se utiliza de instrumentos que fazem chegar até o fiel qual é a sua vontade. Às vezes por uma pregação, um texto, uma música, a contemplação de um lugar, tudo isso pode funcionar como um instrumento para chegar ao conhecimento dos mandamentos de Deus e, consequentemente, ao discernimento da sua vontade.

Deve-se tomar cuidado, pois no mundo há muitos falsos profetas e adivinhos que se apresentam como instrumentos de Deus, porém suas intenções são más e levam à confusão. No Antigo Testamento, Deus precisou advertir seu povo, pois muitos, ao invés de confiarem em Deus e seguirem seus mandamentos, depositavam crédito em adivinhos e curandeiros. "Não vos dirigireis aos que evocam os espíritos, nem aos adivinhos; não os consultareis, para que não vos torneis impuros com eles. Eu sou o Senhor, o vosso Deus" (Lv 19,31).

Muitos podem se ver em situações desesperadoras e a falta de esperança os leva a confiar em ocultismo, superstições e adivinhação. Recorde que o nosso auxílio está no nome do Senhor, do Senhor que fez o céu e fez a terra. A confiança de quem tem fé não deve estar depositada no adivinho, no curandeiro ou na superstição, pois a verdadeira fé está no nome do Senhor que veio até a humanidade em Jesus Cristo. Deposite sua confiança em Cristo e não nas coisas ocultas deste mundo que, em lugar de demonstrar com clareza qual a vontade de Deus, servem apenas para confundir, embora pareça que podem resolver a situação.

Discernir a vontade de Deus passa por um coração que depositou sua esperança e fé em Jesus Cristo, por isso é feita uma avaliação se determinada decisão está de acordo com os mandamentos de Deus. Caso esteja, e diversas opções também estejam em sintonia com os mandamentos, reze, peça ao Espírito Santo que o ilumine para escolher. A escolha sempre será sua, porém, se o objeto a escolher está de acordo com os mandamentos de Deus, após ter rezado com sinceridade, decida confiando em Deus.

Não resuma a vontade de Deus exclusivamente ao cumprimento de mandamentos de forma vazia e sem espírito. Saiba que a vontade dele está nos mandamentos, mas eles não a esgotam, visto que Deus quer mais. Ele quer compartilhar sua vida íntima com o ser humano e guardá-lo no aconchego do coração chagado e misericordioso que ama infinitamente a todos.

Hora de rezar

Não há discernimento sobre qual é a vontade de Deus se não houver oração. Rezar abre os corações para que façam escolhas em sintonia com a vontade de Deus. Rezar dissipa a confusão e a dúvida, pois ilumina a alma com as verdades de Deus.

(Faça o sinal da cruz, respire profundamente e devagar. Quando soltar o ar, pronuncie a primeira das frases, depois respire novamente, pronuncie a outra e por fim a última. Faça três vezes a mesma sequência das três frases, o que totalizará nove preces.)

1. **Seja feita a vossa vontade;**
2. **Dai-nos conhecer a vossa vontade;**
3. **Iluminai-nos a decidir pela vossa vontade.**

Conserve mais alguns instantes em oração espontânea. Termine esta prece com a oração completa do pai-nosso, da ave-maria, do Glória ao Pai e faça o sinal da cruz para encerrar.

Acesse o QR CODE e reze com o Padre Alex Nogueira!

A liberdade de escolha dos homens

O ser humano, que foi criado à imagem e semelhança de Deus, possui corpo e alma, portanto é um composto de matéria e espírito. Possui inteligência, vontade e paixões. A inteligência busca a verdade e a vontade almeja o bem, enquanto as paixões devem ser direcionadas para a ação do que é bom e verdadeiro. Desse modo, a vontade humana foi criada por Deus provida de liberdade. Deus não fez seres humanos robôs, determinados exclusivamente para fazer uma coisa de modo que a liberdade de escolha não exista.

O homem possui vontade livre e, com essa liberdade, pode fazer suas escolhas. Cada escolha implica sempre em responsabilidades e, por isso, o homem se esforça livremente para escolher o bem. Quando Deus entregou os dez mandamentos ao povo, disse: "Vê, eu te proponho hoje a vida e a felicidade, a morte e a desgraça. Se tu obedeces aos mandamentos do Senhor, teu Deus, que eu te ordeno hoje, amando ao Senhor, teu Deus, marchando em seus caminhos, observando seus mandamentos, suas ordens e suas normas, tu viverás, e te multiplicarás [...]. Mas se o teu coração se desviar e não escutares e te prostrares diante de outros deuses e os servires, eu vos declaro, neste dia, que certamente perecereis" (Dt 30,15-18).

A liberdade do homem é reafirmada por Deus com a entrega dos mandamentos, pois ele mostra qual é o caminho da vida, porém não obriga o homem a escolher tal caminho. A decisão é da pessoa, e Deus, que é amor, explica quais as consequências dessas escolhas, visto que a cada escolha corresponde sua responsabilidade.

Escolher de acordo com a vontade de Deus é o caminho do bem, e isso corresponderá aos anseios mais profundos da alma humana. O grande problema é que a natureza humana se vê inclinada também para o mal, por isso confunde o bem com o mal. No jardim do Éden, a escolha livre de Adão e Eva em desobedecer é fruto de uma confusão de valores, pela qual se idealiza que naquele ato de desobediência seria possível alcançar um bem.

Esse tipo de confusão, entre aquilo que é um bem e aquilo que é um mal, está relacionada ao chamado relativismo atual da sociedade. Ser relativista é reconhecer que não existe a Verdade e, portanto, qualquer coisa que a pessoa decida escolher pode ser boa ou má de acordo com aquilo que ela subjetivamente pensa e quer. O uso da liberdade humana precisa de princípios racionais para a tomada de decisões, mas se a razão chega à conclusão de que qualquer coisa pode ser boa ou má, isso desorienta a liberdade e, ao invés de haver pessoas livres conforme Deus criou, haverá escravos de si mesmos e das próprias ideias.

A beleza da liberdade humana dada por Deus na criação é um valor que deve ser defendido e guiado sempre pelo prudente e reto juízo das coisas. Na sua vida pessoal, permeada de inúmeras decisões diárias, nunca se esqueça de pensar antes de decidir e, ao pensar, abra-se na oração à ação do Espírito Santo. Isso será a realização do mais profundo de seu ser, pois com liberdade saberá escolher aquilo que é a verdade e o bem.

Hora de rezar

O Espírito Santo é capaz de guiar no escuro, de dissipar a cegueira espiritual e levar à compreensão do que é a vontade de Deus. Na liberdade que você possui, decida agora rezar a Deus e pedir livremente que a vontade amorosa dele se faça verdade em sua vida.

(Faça o sinal da cruz, respire profundamente e devagar. Quando soltar o ar, pronuncie a primeira das frases, depois respire novamente, pronuncie a outra e por fim a última. Faça três vezes a mesma sequência das três frases, o que totalizará nove preces.)

1. **Ensinai-nos a amar vossa vontade;**
2. **Dai-nos escolher sempre vossa vontade;**
3. **Seja feita a vossa vontade.**

Conserve mais alguns instantes de oração espontânea. Termine esta prece com a oração completa do pai-nosso, da ave-maria, do Glória ao Pai e faça o sinal da cruz para encerrar.

Acesse o QR CODE e reze com o Padre Alex Nogueira!

A providência de Deus

Há quem acuse Deus de não intervir por suas necessidades, visto que ele conhece todas as coisas e tudo pode, mas não age sobre aquilo que algumas pessoas julgavam necessário em certas ocasiões. Muitos se revoltam e brigam com Deus por ele não ter concedido a cura almejada ou por ter deixado que uma pessoa morresse tragicamente enquanto outras, consideradas más, permanecem vivas, ou ainda, que ele não se importa com as necessidades das pessoas.

Todas essas provocações e inquietações precisam ser purificadas e ordenadas de acordo com a chamada Providência de Deus. A palavra "pro-vidência", está ligada a uma capacidade de ver (vidência) adiante (pro), ver além das capacidades meramente temporais deste mundo. Deus é eterno e está na eternidade, os seres humanos criados por Deus estão no tempo. A eternidade, diferente do tempo, não possui passado, presente e futuro. Não se pode entender que Deus veja as coisas com os olhos do tempo, visto que Deus é eterno, assim ensina São Pedro: "diante de Deus, um só dia é como mil anos; e mil anos são como um dia só" (2Pd 3,8).

Deus é providente, pois estando ele na eternidade vê e tem ciência de todas as coisas que estão no tempo.

Mas o fato de ele já saber de todas as coisas não significa que ele tenha determinado o destino do homem a ponto de lhe tirar a liberdade. Mesmo que Deus já conheça as escolhas livres de cada ser humano isso não significa que ele tenha tirado o livre-arbítrio das pessoas. Os seres humanos são totalmente livres para fazerem suas escolhas a qualquer momento.

Quando passa por uma contrariedade, enfermidade, tribulação ou é vítima da maldade alheia, o cristão deve ter em mente o conselho de São Paulo: "sabemos que todas as coisas concorrem para o bem dos que amam a Deus, dos que são chamados de acordo com a sua vontade" (Rm 8,28). Se você ama a Deus, está nos caminhos de seus mandamentos e continua sendo vítima da maldade alheia, abandone-se à Providência de Deus, pois, se isso está acontecendo, é porque Deus tirará no futuro um bem de toda essa realidade.

Sempre pedimos a Deus que nos dê a salvação, que nos ajude a ser mais santos, humildes e mansos, porém, quando as situações da vida nos provam, justamente para alcançarmos o que pedimos a Deus, murmuramos e reclamamos por essas dificuldades vividas. Quando chega uma enfermidade, seja ela grave ou não, pergunte qual é o caminho de santificação que Deus providencialmente lhe concede nesse momento de sua história.

Para se entregar à Providência divina é preciso entender o que já dissemos: Deus não está preso no tempo, ele vê além das perspectivas meramente temporais. Assim, conclui-se que Deus não impende a existência do pecado e de atitudes más, pois até mesmo desse tipo de abuso de liberdade por parte do homem Deus é capaz de tirar um bem e fazer resplandecer com maior excelência sua misericórdia e sua justiça.

No hoje da sua vida talvez você não consiga entender porque passa por tanto sofrimento ou tribulação, mas no futuro, se você quer amar a Deus de coração sincero, descobrirá que tudo converge para a sua salvação. Até uma enfermidade terminal poderá ser um caminho que lhe levará para o céu. A mentalidade do mundo de hoje quer eliminar qualquer tipo de sofrimento e dor, porém, quem se decidiu por Jesus, fortalecido pelo Mestre, escolhe o caminho da cruz que conduz à ressurreição.

Lembre-se que Deus vê com um olhar total e não parcial. O cristão deve enxergar as coisas tendo em vista a eternidade, não exclusivamente com a ânsia de materialidade. Vivemos neste mundo, compartilhamos as dores e dificuldades com os irmãos, construímos pontes de amor e esperança, mas nunca devemos nos esquecer de colocar os óculos espirituais da busca pelo eterno, por Deus. No início, meio ou fim de nossa jornada neste mundo, nunca nos esqueçamos que tudo convergirá para o bem dos que amam a Deus, e mesmo a morte será um caminho para um bem maior e eterno.

Hora de rezar

O cristão precisa rezar e pedir que Deus lhe conceda um olhar espiritual diante das situações vividas. Nas perdas, na enfermidade, na morte e na provação, tenhamos sempre, em espírito de oração, um olhar espiritual e confiante na Providência divina.

(Faça o sinal da cruz, respire profundamente e devagar. Quando soltar o ar, pronuncie a primeira das frases, depois respire novamente, pronuncie a outra e por fim a última. Faça três vezes a mesma sequência das três frases, o que totalizará nove preces.)

1. **Seja feita a vossa providente vontade;**
2. **Deus provê, Deus proverá,**
3. **Sua misericórdia não faltará.**

Conserve mais alguns instantes de oração espontânea. Termine esta prece com a oração completa do pai-nosso, da ave-maria, do Glória ao Pai e faça o sinal da cruz para encerrar.

Acesse o QR CODE e reze com o Padre Alex Nogueira!

Por que pedir se Deus já sabe?

Como Deus, em sua ciência divina, conhece todas as coisas e, portanto, é onisciente, por que a pessoa que reza deve fazer seus pedidos a ele?

Responder a essa pergunta é mergulhar no mistério da oração. Deus sabe do que a pessoa precisa, ele quer dar o que ela precisa, e mesmo assim ensinou os fiéis a pedirem. Deus revelou através de Jesus Cristo que devemos pedir a ele aquilo que é necessário. Assim disse Jesus: "Pedi e vos será dado, procurai e achareis, batei na porta e ela se abrirá para vós. Porque todo aquele que pede, recebe. O que procura, acha. A quem bate, se abrirá a porta" (Mt 7,7-8). O ato de pedir é uma pedagogia de crescimento para a pessoa, pois isso lhe aumenta a fé, leva à confiança filial e mantém o contato com Deus por meio da oração.

Um dos problemas é o conteúdo daquilo que é pedido. Deus concederá tudo o que é necessário para a salvação da pessoa. Por isso, ao dirigir um pedido a Deus, uma situação condicional deve ser colocada: "se for da vontade de Deus e para a nossa salvação". Não é correto apresentar pedidos a Deus que, se nos forem concedidos, em vez de trazer um bem trarão um mal. Devemos sim pedir, porém com o discernimento de quem quer apenas o bem e de quem quer fazer a vontade de Deus.

Deus quer me conceder a graça e o ato de pedir e rezar serve para alargar meu coração para que a graça caiba dentro dele. Deus quer conceder a graça, porém o coração ainda não está suficientemente preparado. Por isso reze, reze com perseverança, pois a oração produzirá efeitos práticos em sua vida, desenvolverá a confiança, o crescimento da fé e a atitude de vigilância.

Em um mundo imediatista, em que tudo deve estar feito aqui e agora, as "demoras" de Deus são objeto de decepção para alguns cristãos. O que deve ser compreendido é que Deus não demora, são as nossas vontades que estão desordenadas e querem tudo no nosso tempo. Para entender isso, vale a meditação do Eclesiastes: "Tudo tem a sua hora, cada empreendimento tem seu tempo debaixo do céu" (Ecl 3,1). A oração é uma escola de mudança para quem reza, pois na fé se aprende a esperar, confiar e pedir com humildade. O orgulhoso que se basta a si mesmo tem dificuldades em pedir, pois não é humilde. A atitude de rezar e pedir quebra a soberba humana e faz nascer a confiança humilde e sincera de quem depositou sua vida nas mãos da Providência.

Deus também revela que é possível rezar pelos outros. Se pelo batismo somos incorporados ao corpo de Cristo, há uma união espiritual entre os membros desse corpo. Assim, a ação divina na história pode acontecer com a nossa intercessão, isto é, sendo membros desse corpo, podemos rezar pela ação de Deus na vida das pessoas.

Toda a oração fundamentada sempre na vontade providente de Deus, principalmente aquela que se dirige ao irmão, também é um ato de caridade e misericórdia de nossa parte. Assim afirma São Tiago: "orai uns pelos outros, para alcançardes a saúde. É de grande poder a oração assídua do justo" (Tg 5,16). Dessa forma, nunca reze apenas por si, mas sobretudo pelas necessidades de seus irmãos.

Hora de rezar

Deus sabe de todas as coisas e ensinou que rezar sempre faz muito bem. Com vontade ou sem vontade o fiel precisa rezar em toda circunstância e, por isso, elevamos o coração em prece com humildade e sinceridade. Essa prece é dirigida a Deus por você, mas também por todos os seus irmãos.

(Faça o sinal da cruz, respire profundamente e devagar. Quando soltar o ar, pronuncie a primeira das frases, depois respire novamente, pronuncie a outra e por fim a última. Faça três vezes a mesma sequência das três frases, o que totalizará nove preces.)

1. **Seja feita a vossa vontade;**
2. **Assim na terra como no céu;**
3. **Na minha vida e na dos meus irmãos.**

Conserve mais alguns instantes de oração espontânea. Termine esta prece com a oração completa do pai-nosso, da ave-maria, do Glória ao Pai e faça o sinal da cruz para encerrar.

Acesse o QR CODE e reze com o Padre Alex Nogueira!

Assim na terra como no céu

No céu, todos vivem a vontade de Deus em plenitude, porém ainda é preciso se esforçar aqui na terra para unir a vontade livre do ser humano ao bem maior da vontade de Deus. O céu é a meta e a referência para a vida da pessoa que tem fé e vive neste mundo. Toda pessoa busca um sentido para sua existência na terra. Deus marcou cada ser humano com a sede de eternidade, visto que não somos apenas matéria, mas um composto de matéria (corpo) e espírito (alma). Diante das buscas há na pessoa humana uma vontade própria que se inclina para as paixões más e desordenadas. Por isso, aquele que reza para que seja feita a vontade de Deus precisará renunciar a muitas de suas vontades rebeldes para se conformar com a vontade de Deus.

Aceitar a vontade de Deus implicará renunciar a si mesmo, considerando que Jesus ensinou: “Se alguém quiser me seguir, renuncie a si mesmo, tome sua cruz de cada dia, e então me siga. Porque quem quiser salvar sua vida, vai perdê-la, mas quem perder sua vida por minha causa vai salvá-la” (Lc 9,23-24). A natureza humana tende a dizer sempre “seja feita a MINHA vontade” e, desse modo, precisamos de uma educação espiritual para dizer: “seja feita a VOSSA vontade”.

Ao rezar o pai-nosso não se altera ou reforça a vontade de Deus, muda-se a vontade de quem está rezando com o objetivo de que ela se configure à vontade dele. Quem reza precisa passar pelo caminho da renúncia diária de si, e tal via se fortalece quando há entrega total à vontade de Deus que foi colocada em primeiro lugar.

Um casal que se decidiu pelo matrimônio faz uma união de vontades e, durante a convivência matrimonial, passará por diversas renúncias. Quando um fiel se dispuser a fazer uma união íntima com Deus através da oração, perceberá onde estão as renúncias que precisa fazer para abraçar a cruz com amor. Uma mãe que acorda inúmeras vezes durante a noite para socorrer o recém-nascido que chora, renuncia ao sono e ao descanso pois ama o filho e entrega sua vida por ele. A pessoa de fé é capaz de perder sua vida neste mundo por amor a Jesus, pois seus olhos veem de acordo com a vontade de Deus e não mais conforme a própria vontade.

Quantas pessoas não veem um sentido na vida exatamente porque seus objetivos estão resumidos às coisas e aos projetos deste mundo? O espírito pede muito mais que uma satisfação meramente material, pois vai além, tem sede de eternidade. Escolher aquilo que vale a pena ser vivido é escolher Deus, mesmo que essa escolha seja apertada e difícil, como afirmou Jesus: "Entrai pela porta estreita. Porque larga é a porta e espaçoso o caminho que conduz à perdição, e muitos são os que tomam rumo por ele. Mas é estreita a porta e apertado o caminho que conduz à vida, e como são poucos os que o encontram" (Mt 7,13-14).

O pedido de que seja cumprida a vontade de Deus tem como referência a frase "assim na terra como no céu". Jesus trouxe o céu para a terra, uma vez que ao se encarnar revelou as realidades do céu. No céu, a vontade de Deus está manifesta e é glorificada pelos anjos e santos. Na terra, é preciso trabalhar para que essa vontade também seja cumprida. O cristão deve aprender a ser sal da terra e luz do mundo, pois ele deve lutar com o mundo para cumprir a vontade de Deus. "Assim na terra como no céu" recorda que no céu todos vivem em íntima união com Deus, o desejo dessa união já começa a se cumprir aqui na terra.

O cumprimento da vontade divina aqui na terra passa indispensavelmente pela renúncia às vontades humanas desordenadas. Isso faz com que as realidades do céu comecem a ser percebidas na terra. Deus concede sua vida divina da graça a quem é batizado, isso não destrói a vontade própria, mas faz com que ela esteja de acordo com a vontade de Deus. Essa vontade divina é vivida em plenitude no céu e, aqui na terra, é desejada e pode ser também cumprida.

Hora de rezar

Lutar por edificar aqui na terra os reflexos do céu requer a união íntima de nossa vontade à vontade de Deus. Reconheça onde estão em você as vontades rebeldes que precisam ser renunciadas e acolha docilmente a vontade de Deus. Não seja como uma pessoa revoltada que jamais aceita ser contrariada. No Espírito Santo, permita-se ser moldado e refeito conforme Deus quer.

(Faça o sinal da cruz, respire profundamente e devagar. Quando soltar o ar pronuncie a primeira das frases, depois respire novamente, pronuncie a outra e por fim a última. Faça três vezes a mesma sequência das três frases, o que totalizará nove preces.)

1. **Seja feita a vossa vontade;**
2. **Assim na terra como no céu;**
3. **Para que nossa vontade se una à vossa.**

Conserve mais alguns instantes de oração espontânea. Termine esta prece com a oração completa do pai-nosso, da ave-maria, do Glória ao Pai e faça o sinal da cruz para encerrar.

Acesse o QR CODE e reze com o Padre Alex Nogueira!

5

O pão nosso de cada dia nos dai hoje

Depois de pedir ao Pai do céu o caminho para santificar na vida o seu nome santíssimo, que seu reino venha até nós e que sua vontade seja verdade no caminho de fé, agora é o momento de reconhecer que neste mundo, entre tantas necessidades, o homem precisa do alimento material e espiritual.

Por milênios a humanidade fabrica o seu pão, alimenta-se dele e é fortalecida por ele corporalmente. O pão recorda toda a necessidade física de sustento para a sobrevivência; mas como o homem não é só matéria, ele também carrega fome espiritual. Pedir pão é pedir o alimento material e espiritual, num ato de confiança e abandono na Providência de Deus.

Como todos os dias o corpo precisa de alimento, também a alma precisa de Deus. Rezar o pai-nosso é demonstrar com sinceridade as necessidades mais humanas para um Deus que assumiu e que também conhece essa humanidade. Jesus, verdadeiro Deus e verdadeiro homem, também consumiu do alimento material e também teve fome (Mt 4,2). Este mesmo Jesus levou a humanidade para o céu e, com esperança, aguardamos o dia de chegar ao lugar onde não haverá mais fome e nem sede, onde só Deus basta.

O pão nosso, de uma oração nossa

Embora seja possível fazer a oração do pai-nosso individualmente, sem a participação de outra pessoa que acompanhe, ela não é uma oração individualista ou egoísta. O pronome possessivo "nosso" está conjugado na primeira pessoa do plural (nós). Não se pede o pão meu, e sim o pão nosso. Aqui está o fundamento de uma oração que pode ser feita por um indivíduo, porém nunca em seu nome apenas, mas unido a toda a comunidade de irmãos.

A oração é uma realidade íntima da pessoa com Deus, mas também é partilhada com os irmãos. No início da própria oração a referência a Deus está como "nosso" Pai, visto que pelo batismo somos irmãos em Cristo e filhos adotivos de um único Pai eterno.

A vida espiritual precisa de oração privada e íntima com Deus, mas também de oração comunitária. Os primeiros cristãos da Igreja antiga sempre estiveram reunidos, como afirma o livro dos Atos dos Apóstolos: "Eles permaneciam constantes no ensino dos apóstolos, na comunhão fraterna, na cerimônia de partir o pão e nas orações. [...] Os fiéis viviam todos unidos e tinham tudo em comum, [...] todos os dias se reuniam no Templo. Partiam o pão em suas casas tomando as refeições com alegria e simplicidade de coração" (At 2,42.46).

Quantos católicos estão presos na ideia egoísta de que não precisam ir à Igreja para rezar, pois dizem: "eu rezo em casa e sou feliz"? Outros ainda dizem: "é melhor rezar em casa do que ir à Igreja, pois lá os outros me fazem pecar". Também se ouve: "lá na Igreja só tem pessoas fofoqueiras e pecadoras".

Não sei quais foram os traumas que você viveu em sua comunidade, seja com o padre, com os leigos ou religiosos. Porém, um cristão intimista, que não vai ao encontro de Deus na comunhão com as pessoas de fé, precisa pedir com sinceridade a Deus a conversão desse comportamento egoísta. Como quer um dia chegar à comunhão dos santos no céu, se não sabe viver a comunhão aqui na terra? Também é importante entender que a comunhão dos santos não é uma comunhão de qualquer tipo de ideia ou ideologia, mas uma comunhão nas verdades da fé fundadas na legítima esperança.

Como pode alguém querer rezar o pai-nosso isolado em sua casa, relativizando a Igreja como algo desnecessário, sendo que nas palavras que pronuncia está se apresentando a Deus como alguém que deve viver em comunhão (Pai **nosso**; o pão **nosso**; as **nossas** ofensas; assim como **nós** perdoamos; não **nos** deixeis cair; mas livrai-**nos** do mal)? Deve-se romper com a ideia de que não é preciso ir à missa, receber os sacramentos ou rezar em comunidade. Os cristãos desde o início encontraram sua forma de vida na comunidade reunida. Disse nosso

Senhor: "Porque, onde estão dois ou três reunidos em meu nome, eu estou lá entre eles" (Mt 18,20).

Não importa o número de pessoas que participam em sua comunidade, o fato é que um cristão cresce na fé quando vive em comunhão. Pedir o pão nosso é fazê-lo na oração que também é NOSSA. Não está errado rezar sozinho, porém há isolamentos injustificados. Em certas circunstâncias, por motivos de idade ou saúde, as pessoas podem estar impossibilitadas de ir à comunidade, visto que ninguém é obrigado a fazer o impossível. Com consciência, tais fiéis devem saber que nunca estão sozinhos, pois toda a Igreja unida espiritualmente permanece em comunhão com eles, mesmo nessa condição de impossibilidade. A Igreja, corpo de Cristo, está também no enfermo ou idoso que não pode ir até a comunidade.

Hora de rezar

Que cada vez mais o coração do cristão aprenda a clamar pelo "pão nosso", mais do que pelo "pão meu". Que entenda que a oração não é só dele, mas de Cristo que reza em cada um de nós e une todos os irmãos.

(Faça o sinal da cruz, respire profundamente e devagar. Quando soltar o ar, pronuncie a primeira das frases, depois respire novamente, pronuncie a outra e por fim a última. Faça três vezes a mesma sequência das três frases, o que totalizará nove preces.)

1. O pão nosso de cada dia nos dai hoje;
2. Libertai-nos do egoísmo;
3. Restaurai em nós a comunhão.

Conserve mais alguns instantes de oração espontânea. Termine esta prece com a oração completa do pai-nosso, da ave-maria, do Glória ao Pai e faça o sinal da cruz para encerrar.

Acesse o QR CODE e reze com o Padre Alex Nogueira!

O alimento material e a fome

Pedir o pão não só para si mesmo, mas para todos, é reconhecer que o ser humano tem necessidades próprias de subsistência. Deus concedeu o dom da vida e agora é pedido o necessário para sustentá-la. Essa prece eleva a Deus o pedido de que não falte o pão de cada dia, porém, devido ao egoísmo e aos demais pecados, muitos passam fome e não têm o necessário para viver.

A virtude humana da justiça é um bom hábito da pessoa que aprendeu a dar a Deus o que é de Deus e ao próximo o que lhe é de direito. Se todos receberam de Deus a vida, todos têm o direito de conseguir o necessário para mantê-la. Por conta da injustiça, alguns são privados do pão de cada dia, passam fome e não conseguem o mínimo para viver. Deus concedeu aos homens a liberdade para serem justos, mas muitos continuam sendo injustos com seus irmãos. Não coloque a culpa da fome no mundo em Deus, visto que ele já deu todas as ferramentas para que, pela liberdade humana, a pessoa descubra o dom da caridade.

O cristão deve se esforçar com o impulso da graça de Deus para viver relações pessoais justas e permeadas pela caridade. O *Catecismo da Igreja Católica* nos parágrafos 2832 e 2833 ensina que o Reino de Deus: "Deve manifestar-se pela instauração da justiça nas relações pessoais e sociais, econômicas e internacionais, sem jamais esquecer que não existe estrutura justa sem seres humanos que queiram ser justos. Trata-se de 'nosso' pão, 'um' para 'muitos'. A pobreza das bem-aventuranças é a virtude da partilha que convoca a comunicar e partilhar os bens materiais e espirituais, não por coação, mas por amor, para que a abundância de uns venha em socorro das necessidades dos outros".

Uma forma justa de conseguir o pão é com o esforço de um trabalho abençoado por Deus. O que se consegue como fruto desse trabalho também deve ser partilhado. As duas primeiras obras de misericórdia corporais falam do socorro a quem tem fome: "dar de comer a que tem fome"; e o socorro a quem tem sede: "dar de beber a quem tem sede".

O que move o cristão a partilhar não é uma decisão simplesmente ética ou filantrópica, mas enxergar naquele que sofre o rosto do próprio Cristo. O Papa Francisco chama a atenção da Igreja, pois ela corre o risco de se tornar uma simples ONG (organização não governamental) que age exclusivamente pelo espírito de filantropia. Assim falou o papa aos religiosos no dia 27 de maio de 2016: "Fostes chamados e consagrados por Deus para permanecer com Jesus (cf. Mc 3,14) e para O SERVIR nos pobres e nos deserdados da sociedade. Neles, vós TOCAIS E SERVIS a carne de Cristo e cresceis na união com Ele, vigiando sempre a fim de que a fé não se torne ideologia, a caridade não se reduza a filantropia e a Igreja não acabe por ser uma 'ONG'".

Quando alguém se preocupa sobremaneira com o pobre e necessitado pelos motivos errados, corre o risco de perder a fé para uma ideologia, de trocar a caridade apenas por um louvável espírito filantrópico, relativizando a Igreja para que seja como uma organização civil qualquer. Partilhar o pão, servir ao pobre e viver na justiça são características de um seguidor que, apaixonado por Cristo, ama o próximo por ver nele a imagem do Cristo sofredor. No fim dos tempos, o julgamento será com base no amor, porém naquele que tem o Cristo como centro e não no pretenso amor que considera apenas a matéria pela matéria.

Assim ensina o Evangelho: "Então o Rei lhes responderá: Em verdade, vos digo, o que não fizestes a um desses pequeninos, não o fizestes a mim! Estes irão para o suplício eterno e os justos para a vida eterna" (Mt 25,45-46). Servir aos pobres, tocar a carne de Cristo nos necessitados, ajudar-lhes com a esmola, com o que comer, beber, vestir; dar acolhimento, cuidar na enfermidade ou visitar na prisão, tudo isso se faz porque primeiro se amou a Jesus. Quanto mais amor a Jesus, mais transbordará amor ao próximo.

Quanto mais Cristo, mais amor e mais pão. Do contrário, quanto menos Cristo, mais egoísmo, mais fome, mais injustiça. Que o pão nosso de cada dia seja concedido por Deus através de um coração que o ama e que no trabalho digno batalha por seu sustento, contando sempre com a graça de Deus. Se ainda há fome no mundo, é porque existem pessoas que não vivem a caridade de Cristo; pessoas que guardam para si aquilo que poderiam, por caridade cristã, repartir com o próximo. Perto ou longe de você há pessoas que precisam receber o pão nosso de cada dia, por isso não deixe de ajudar, amar e partilhar.

Hora de rezar

Que cada vez mais o coração do cristão aprenda a clamar pelo pão nosso, mais do que o pão meu. Que entenda que a oração não é só minha, mas de Cristo que reza em mim e me une aos demais irmãos.

(Faça o sinal da cruz, respire profundamente e devagar. Quando soltar o ar, pronuncie a primeira das frases, depois respire novamente, pronuncie a outra e por fim a última. Faça três vezes a mesma sequência das três frases, o que totalizará nove preces.)

1. O pão nosso de cada dia nos dai hoje;
2. Dai-nos o amor e a justiça;
3. Livrai-nos do egoísmo e da injustiça.

Conserve mais alguns instantes de oração espontânea. Termine esta prece com a oração completa do pai-nosso, da ave-maria, do Glória ao Pai e faça o sinal da cruz para encerrar.

Acesse o QR CODE e reze com o Padre Alex Nogueira!

O alimento espiritual e a conversão

Durante as duras provações vividas pelo povo que caminhava pelo deserto, Deus ensinou: “Ele te humilhou e te fez passar fome, nutriu-te com o maná, que não conhecias, nem tu, nem teus pais, para te ensinar que o homem não vive só de pão, mas de tudo o que procede da boca do Senhor” (Dt 8,3). Este mesmo trecho das escrituras foi citado por Jesus ao diabo que o tentou. A tentação era da gula, pois o diabo queria que Jesus transformasse a pedra em pão de forma imediatista e extraordinária. Jesus responde que "Nem só de pão viverá o homem, mas de toda palavra que sai da boca de Deus" (Mt 4,4).

Além do pão material, pelo qual se trabalha com a graça de Deus para saciar a própria fome e para partilhar com os irmãos, há também a necessidade humana de alimentação espiritual. A alma humana é espiritual e clama por Deus, quer ouvir sua Palavra. O profeta Amós adverte: "Eis que dias hão de vir – oráculo do Senhor Deus – nos quais eu enviarei fome sobre a terra: fome e sede, não de pão e nem de água, mas de ouvir a Palavra do Senhor" (Am 8,11).

Vê-se que as pessoas estão com fome da Palavra de Deus, uma vez que a sociedade humana cada vez mais percebe essa carência interior do espírito. Infelizmente, muitos confundem o lugar onde está a Palavra de Deus e fazem buscas em propostas esotéricas, de energização e naturalistas, nutrindo a seguinte ideia: "o que importa é seguir o bem, viver alguma espiritualidade, independente de religião ou crença". Essa é uma ideia criada pelo inimigo e oferecida como caminho de felicidade e realização. Porém, sabe-se que o diabo é o pai da mentira e para enganar precisa apresentar propostas encantadoras, porém vazias.

Lembremos da parábola do joio e do trigo (Mt 13,24-30), na qual o inimigo semeou o joio naquela plantação. Quando as duas plantas estão em processo de crescimento é muito fácil confundir uma com a outra, por isso é preciso esperar que cresçam totalmente para discernir. Na atualidade, muitas ideias (joio) foram lançadas e será necessário um reto juízo para escolher o alimento espiritual sólido e verdadeiro. Cuidado com propostas muito atraentes de solução espiritual, ao final elas revelarão o quão vazias e passageiras são.

O cristão tem consciência de que o seu alimento espiritual é encontrado na Palavra de Deus e nos sete sacramentos deixados por Jesus. O ponto mais alto dos sacramentos é a Santíssima Eucaristia, que só existe onde há sacerdotes validamente ordenados. Não há Eucaristia verdadeira em qualquer outra religião a não ser na Igreja em que Nosso Senhor instituiu o sacerdócio na última ceia. Desse modo, ao rezar "o pão nosso de cada dia", além do pão material, Deus nos dá generosamente o pão espiritual que fortalece a alma, a Eucaristia.

Em seu infinito amor, Deus nos concede que seu Filho atualize sua entrega na cruz em cada Santa Missa. As mãos do sacerdote são como o ventre da Virgem Maria, pois nelas é gerado Jesus nas espécies do pão e do vinho. Na Eucaristia, Jesus está por inteiro, em corpo, sangue, alma e divindade, e deseja ardentemente que o fiel se una a ele em comunhão de amor. Este é o sublime mistério no qual o Deus infinito visita o coração da pequenez humana.

Rezar o pai-nosso é pedir a Deus que conceda a verdadeira piedade e devoção para receber Jesus na Eucaristia. Quantas vezes se recusa por motivos injustificados a participação na Santa Missa ou uma visita ao Santíssimo Sacramento! Se o ser humano compreendesse totalmente qual mistério está diante de si na Eucaristia, morreria imediatamente. Por isso, pela fé se crê neste sacramento de amor e comunhão no qual a alma humana é inflamada de caridade divina.

Jesus ensina no discurso do pão da vida: "Eu sou o pão da vida. Quem vem a mim não terá mais fome e o que crê em mim não terá mais sede. Mas eu já vos disse: vós me vedes e não credes" (Jo 6,35-36). Essa verdade deve ser anunciada e partilhada com as pessoas que estão enfraquecidas na fé ou não a possuem. Assim como a caridade leva à partilha do pão material, ela também leva à partilha da fé e do pão espiritual. Dê testemunho em sua vida de que a Eucaristia é o alimento espiritual e, como missionário, anuncie as maravilhas da presença real de Jesus no pão consagrado e os frutos espirituais que podem ser colhidos na alma.

Hora de rezar

Deus se dá a nós na Eucaristia e nós nos damos a ele quando o comungamos. A Eucaristia é o céu aqui na terra. Não perca a oportunidade de, tendo sido perdoado de pecado grave, receber frequentemente Jesus na comunhão. Caso não possa receber sacramentalmente, ao menos na hora da comunhão, ajoelhe-se e faça sua oração, manifeste a Deus o desejo de estar unido a ele verdadeiramente. A Eucaristia, eis o mistério da fé que sustenta e alimenta a alma.

(Faça o sinal da cruz, respire profundamente e devagar. Quando soltar o ar, pronuncie a primeira das frases, depois respire novamente, pronuncie a outra e por fim a última. Faça três vezes a mesma sequência das três frases, o que totalizará nove preces.)

1. O pão nosso de cada dia nos dai hoje;
2. Dai-nos amá-lo na Eucaristia;
3. Dai-nos ser sustentados por vós.

Conserve mais alguns instantes de oração espontânea. Termine esta prece com a oração completa do pai-nosso, da ave-maria, do Glória ao Pai e faça o sinal da cruz para encerrar.

Acesse o QR CODE e reze com o Padre Alex Nogueira!

A avareza que corrói o coração

O pedido do pai-nosso de ter o pão a cada dia revela que o acúmulo desmedido e apegado aos bens aprisiona o coração em tesouros passageiros. O grande problema não está no número de bens e riqueza que se possui, mas no tamanho do apego que se tem àquilo que foi conquistado mediante o trabalho. É justo que os seres humanos tenham seus bens e prosperem, mas é injusto para com Deus quando ele é trocado pelas conquistas materiais.

Nosso Senhor advertiu no Evangelho: "Não junteis para vós tesouros na terra, onde a traça e a ferrugem os consomem e os ladrões penetram para roubar. Mas acumulai para vós tesouros no céu, onde nem traça e nem ferrugem os consomem, e onde os ladrões não penetram para roubar. Porque onde estiver o teu tesouro, ali estará também o teu coração" (Mt 6,19-21).

Jesus conhece o coração humano e sabe o quanto é inclinado ao acúmulo, por vezes apegando-se a tal ponto aos bens materiais, que facilmente troca o tesouro do céu por tesouros da terra. Onde está o seu coração? Pode ser que esteja no acúmulo promovido pela avareza. A palavra avareza significa acúmulo excessivo e desesperado de bens materiais. Nessa situação, o coração não consegue partilhar e doar generosamente, pois deseja apenas acumular e guardar.

Quando se pede o pão que seja para aquele dia, tem-se um remédio eficaz contra a avareza. O avarento quer apenas guardar para si e não tem olhos para estender a mão ao próximo e necessitado. Ao rezar e pedir o pão apenas para aquele dia, a dinâmica da avareza é destruída, pois não há desejo de acúmulo para o amanhã, há apenas confiança em Deus.

A lógica mundana é de uma ambição desregrada, pela qual o coração se aprisiona a tal ponto aos bens materiais que, quando a pessoa chega ao dia da morte, não consegue se despedir em paz deste mundo. Na hora derradeira, o sofrimento invade o coração avarento, pois a pessoa só pensa nos bens que terá de deixar e não poderá levar.

O caixão não tem gavetas ou cofres para levar os seus bens e, mesmo que tivesse, você não teria a possibilidade de usufruir deles na eternidade. Por isso, de todos os bens que Deus lhe deu, mesmo que sejam em grande quantidade, isso não deve ser motivo de avareza e egoísmo. É lícito prosperar, empreender e crescer nos seus negócios, porém desde que seja de forma justa, caridosa e desapegada. Se hoje Deus lhe tirar todos os seus bens, que seu coração seja tão livre a ponto de encontrar sua segurança somente nele, que é o verdadeiro tesouro.

Hora de rezar

Pedir o pão nosso de cada dia requer o esforço de confiar na Providência de Deus e ter um coração desapegado. Dessa forma, a oração gerará a alegria que vem do céu, pois "Bem-aventurados os pobres em espírito, porque a eles pertence o Reino dos Céus" (Mt 5,3).

(Faça o sinal da cruz, respire profundamente e devagar. Quando soltar o ar, pronuncie a primeira das frases, depois respire novamente, pronuncie a outra e por fim a última. Faça três vezes a mesma sequência das três frases, o que totalizará nove preces.)

1. **O pão nosso de cada dia nos dai hoje;**
2. **Onde está nosso tesouro aí está nosso coração;**
3. **Dai-nos um coração desapegado e caridoso.**

Conserve mais alguns instantes em oração espontânea. Termine esta prece com a oração completa do pai-nosso, da ave-maria, do Glória ao Pai e faça o sinal da cruz para encerrar.

Acesse o QR CODE e reze com o Padre Alex Nogueira!

O hoje da salvação

"O pão nosso de cada dia nos dai hoje". O trecho "de cada dia" reafirma a palavra "hoje" presente na mesma frase. Valoriza o dia que se vive e fortalece a esperança de continuar a depositar toda a confiança em Deus, aquele nos provê no agora da vida. Sem acúmulos desnecessários e com atos de esperança, reze essa parte do pai-nosso trazendo no coração o pedido de Jesus: "Não vos preocupeis, então, com o dia de amanhã, porque o dia de amanhã trará consigo suas próprias preocupações. A cada dia bastam as suas penas" (Mt 6,34).

Algumas pessoas vivem ansiosamente do amanhã e se esquecem de que a vida se realiza e acontece no hoje. Hoje é o dia da salvação, hoje é o dia para a conversão, pois não se pode deixar para amanhã o que se deve fazer hoje. O tempo da graça de Deus não tem passado, presente e futuro porque Deus é eterno. Por isso, acolha a graça de Deus agora, visto que amanhã pode ser tarde demais.

São Paulo pede aos Efésios: "Sede verdadeiramente atentos a vosso modo de viver: não vos mostreis insensatos, sede antes, homens sensatos, que põem a render o tempo presente" (Ef 5,15-16). Um sábio vive no tempo presente todas as oportunidades que Deus lhe concede pela graça. Quando o assunto é a nossa salvação, não se pode deixar para amanhã, por isso o processo de conversão é vivido no hoje.

No hoje da vida, além do caminho urgente e certo de conversão, também se deve olhar para as necessidades urgentes dos irmãos, sejam elas espirituais ou materiais. Quando se tem diante dos olhos a busca pela caridade e justiça, num contexto de fé verdadeira, também há um abandono à Providência de Deus.

Que a preocupação primeira no hoje da vida e da história seja: "Procurai primeiro o Reino e a justiça de Deus, e tudo isso vos será dado por acréscimo" (Mt 6,33). A oração do pai-nosso é uma decisão clara de buscar o Reino de Deus, assim como a virtude da justiça, seja nas coisas que se referem a Deus (virtude da religião), seja nas coisas que se referem aos homens (justiça).

Hora de rezar

O seguidor de Jesus é cercado no mundo por diversas inquietações e preocupações, porém se descobre pela fé que apenas uma coisa é necessária: Deus. Quais as inquietações e preocupações que envolvem sua vida hoje? Entregue-se a Deus e peça que ele lhe dê, espiritual e materialmente, tudo que é necessário.

(Faça o sinal da cruz, respire profundamente e devagar. Quando soltar o ar, pronuncie a primeira das frases, depois respire novamente, pronuncie a outra e por fim a última. Faça três vezes a mesma sequência das três frases, o que totalizará nove preces.)

1. **O pão nosso de cada dia nos dai hoje;**
2. **Dai-nos hoje a fortaleza;**
3. **Dai-nos hoje a vossa paz.**

Conserve mais alguns instantes em oração espontânea. Termine esta prece com a oração completa do pai-nosso, da ave-maria, do Glória ao Pai e faça o sinal da cruz para encerrar.

Acesse o QR CODE e reze com o Padre Alex Nogueira!

6

Perdoai-nos as nossas ofensas

O pedido completo desta parte do pai-nosso é "perdoai-nos as nossas ofensas, assim como nós perdoamos a quem nos tem ofendido". Este livro divide em dois capítulos essa petição, porém de modo algum quer dizer que sejam independentes. É impactante a forma como Jesus ensina, pois vincula o perdão das nossas culpas ao modo como nós sabemos perdoar os outros. O próximo capítulo trata disso.

Como há tal vinculação nessa parte do pai-nosso, em primeiro lugar é preciso saber como Deus perdoa e como acontece essa obra de misericórdia, pois é de modo semelhante à misericórdia divina que as pessoas precisarão perdoar também. Neste capítulo será trabalhado o que e a quem Deus perdoa; e no próximo capítulo, de que modo devemos perdoar.

Antes de desenvolver essa meditação, faz-se necessário esclarecer por que a forma correta e oficial de pronunciar a oração é "perdoai-**nos** as nossas ofensas", e a forma não oficial "perdoai as nossas ofensas". Há muitas pessoas que já perguntaram se ao dizer "perdoai-**nos** as nossas ofensas" isso não seria uma redundância: aqui vale um esclarecimento.

A forma oficial do pai-nosso em língua portuguesa presente no *Catecismo da Igreja Católica* e nos livros litúrgicos, sobretudo naquele utilizado na Santa Missa, é "perdoai-nos as nossas ofensas", fruto da tradução direta do original na língua latina. Na língua portuguesa, não é um erro gramatical por nenhum ângulo dizer "perdoai-nos". Entenda o porquê.

"Nos" (de perdoai-**NOS**) é objeto indireto ou dativo; "perdoai-nos as nossas ofensas" é objeto direto e o verbo *perdoar* é bitransitivo, portanto exige objeto direto e indireto. Muitos, porém, dizem que a construção está errada porque equivocadamente consideram o "nos" como adjunto adnominal de posse. O que sucede é que também seria possível eliminar o "nossas", porque "nos" encerra certo caráter de posse. Mas isso não é obrigatório na gramática e por isso é seguida a tradução oficial do latim incluindo "nos" e "nossas".

Desse modo, caso tenha o costume de rezar de outra forma essa parte do pai-nosso, é importante, com empenho e humildade, se adaptar a rezar da forma oficial que unifica o modo como todos rezamos, ou seja, "perdoai-nos as nossas ofensas".

O pecado

Ao pedir perdão a Deus por "ofensas", tratamos do que tradicionalmente chamamos de pecados. Entre os pecados existe aquele denominado de "pecado original", com o qual todos nascemos – exceto Nossa Senhora – pois o herdamos dos primeiros pais, Adão e Eva. O pecado original é perdoado pelo sacramento do batismo e, a partir de então, a pessoa se torna filha de Deus por adoção em Jesus Cristo.

Além do pecado original, há também o denominado pecado atual, que é cometido pelo fiel com o uso da razão, sendo que ele é livre para escolhê-lo. O pecado atual pode ser grave (mortal) ou leve (venial). O pecado grave ou mortal faz a pessoa perder o estado de graça diante de Deus, pois gera uma inimizade do fiel para com Deus. Assim, a alma merecedora do inferno se torna escrava do demônio, ao invés de ser uma servidora de Deus. O pecado é um descumprimento de deveres para com Deus, o próximo ou nós mesmos.

Para que um pecado seja grave ele deve ter ferido diretamente um dos dez mandamentos da lei de Deus ou dos cinco mandamentos da Igreja; o pecador deve ter pleno conhecimento sobre o mandamento e livremente ter consentido em realizar tal pecado. Em resumo, o pecado grave possui matéria grave (dez mandamentos), plena consciência dessa matéria e escolha livre de realizá-lo. Algumas circunstâncias podem diminuir a gravidade do pecado, como é o caso da ignorância involuntária; por outro lado, um endurecimento do coração e ignorância proposital aumentam a gravidade.

Cabe recordar, para sua total consciência, quais são os dez mandamentos da lei de Deus, sendo os três primeiros referentes a Deus. O primeiro mandamento é "amar a Deus sobre todas as coisas", ou seja, nada deve ocupar o lugar de Deus, os ídolos devem ser destruídos do coração e Deus deve ganhar a prioridade do amor na vida humana. O segundo mandamento é "não tomar seu santo nome em vão", haja vista o respeito devido ao nome de Deus, da Virgem Maria, dos anjos e santos. O terceiro é "guardar domingos e festas", este mandamento está em comunhão com o primeiro mandamento da lei da Igreja, ensinando que o católico deve participar da missa todos os domingos do ano e nos dias santos que não caem no domingo (Santa Maria, Mãe de Deus em 1º de janeiro; *Corpus Christi* na quinta-feira após a Santíssima Trindade; Imaculada Conceição em 08 de dezembro; e o Natal em 25 de dezembro). Além da Santa Missa, precisa se abster de atividades e negócios que impeçam o culto a ser prestado a Deus nesses dias, assim como viver a alegria do dia e o descanso necessário.

Os outros sete mandamentos se referem ao próximo e aos aspectos de nossa vida. O quarto mandamento é "honrar pai e mãe", isto é, ter respeito e cuidado pelos pais. O quinto é "não matar", proibindo que seja causada a morte do outro, inclusive o aborto voluntário da criança gestada no ventre materno; causar danos corporais, proferir palavras injuriosas, desejar o mal e tentar suicídio. O sexto, "não pecar contra a castidade", proíbe ações, palavras e olhares contrários à pureza, seja por parte dos solteiros, casados ou consagrados. O sétimo, "não furtar", proíbe tirar ou reter injustamente as coisas dos outros contra a vontade deles. O oitavo, "não levantar falso testemunho", adverte para não se levantar falsidades, murmurações, calúnias, mentiras, suspeitas sobre o outro sem fundamento, inclui os elogios interesseiros (adulação). O nono mandamento, "não desejar a mulher do próximo", proíbe qualquer ato fruto de desejos contrários à fidelidade entre os casados e àqueles contrários ao sexto mandamento aplicados a qualquer estado de vida. Por fim, o décimo mandamento, "não cobiçar as coisas alheias", reprova a cobiça e a inveja em relação aos bens do outro e também os meios injustos para obtê-los.

Quanto aos cinco mandamentos da Igreja, o *Catecismo da Igreja Católica*, nos parágrafos 2042 e 2043, ensina quais são tais preceitos:

1. Participar da missa inteira nos domingos e outras festas de guarda e abster-se de ocupações de trabalho;
2. Confessar-se ao menos uma vez por ano;
3. Receber o sacramento da Eucaristia ao menos pela Páscoa da ressurreição;
4. Jejuar e abster-se de carne, conforme manda a Santa Mãe Igreja;
5. Ajudar a Igreja em suas necessidades.

Além dos pecados graves que atentam, com consciência e liberdade, ao descumprimento dos dez mandamentos ou dos cinco mandamentos da Igreja, há também o pecado venial, que é uma transgressão leve às leis de Deus. Quando afeta um dos dez mandamentos, será leve se não havia pleno conhecimento ou pleno consentimento a respeito do ato que se cometeu. É possível pecar levemente contra Deus, o próximo e si mesmo. Tal pecado não rompe com o estado de graça como acontece no pecado grave, porém pode criar um contexto de esfriamento da caridade e de preparo para um pecado grave.

Deve-se ter cuidado para não se tornar um juiz iníquo ou um fariseu, que em tudo se põe a julgar os atos do próximo com objetivo de rotular e fofocar sobre a vida dele. Mesmo percebendo que uma pessoa está em pecado, deve-se confiá-la à justiça e à misericórdia divinas e não aos critérios da mente humana. Um cristão ajuda o outro cristão a se libertar do pecado, e não simplesmente a condená-lo ou rotulá-lo como pecador.

Nos parágrafos acima foram demonstrados, de forma bem resumida, alguns pontos essenciais daquilo que Deus perdoa dos atos humanos. Olhar para a realidade do pecado é reconhecer que, no mistério da grande misericórdia divina, Deus quer todos ao lado dele, pois ele perdoa o coração arrependido.

Hora de rezar

Quem reza o pai-nosso e pede perdão de seus pecados, faz isso com a confiança de um fiel que, por amor a Deus, deseja refazer sua vida e também passar a um tempo novo, o tempo da graça. O católico não pode ser um mero cumpridor de mandamentos, ele precisa viver todos eles por um motivo maior, ou seja, porque experimentou em Jesus um amor tão grande que ofendê-lo causa uma sincera dor no coração. Caso não tenha tido essa experiência ainda, um primeiro passo é a oração sincera.

(Faça o sinal da cruz, respire profundamente e devagar. Quando soltar o ar, pronuncie a primeira das frases, depois respire novamente, pronuncie a outra e por fim a última. Faça três vezes a mesma sequência das três frases, o que totalizará nove preces.)

1. Perdoai-nos as nossas ofensas;
2. Perdoai-nos pela nossa falta de amor;
3. Perdoai-nos dos pecados que cometemos.

Conserve mais alguns instantes de oração espontânea. Termine esta prece com a oração completa do pai-nosso, da ave-maria, do Glória ao Pai e faça o sinal da cruz para encerrar.

Acesse o QR CODE e reze com o Padre Alex Nogueira!

A dupla consequência do pecado

Toda pessoa que realiza um ato livre e consciente se torna responsável por ele, visto que foi sua autora. Quando esse ato é um pecado, ao se perguntar quem o cometeu, não há outra resposta senão esta: a própria pessoa na sua liberdade. Assim, as pessoas carregam em si a **culpa** por seus pecados, pois um ato cometido por um indivíduo não pode ser atribuído a outro; é possível haver a colaboração, mas cada um é responsável por suas culpas.

Nesse sentido, a primeira consequência de um pecado é a CULPA, visto que a pessoa é responsável por aquilo que cometeu livre e conscientemente. Todo o ato culpável carrega consigo certas consequências no âmbito pessoal, comunitário e em relação a Deus. No que se refere ao pecado, essas consequências são chamadas de PENAS. Alguém que peca gravemente é merecedor da "pena eterna", ou seja, da condenação ao inferno, e os que pecam levemente merecem a "pena temporal". Mesmo aos que pecaram gravemente e já foram absolvidos sacramentalmente, e quanto à culpa não mereçam mais a pena eterna, permanece, contudo, uma pena temporal a ser dissolvida.

Com isso, a pessoa pode pensar que Deus seja mau ou vingativo em relação ao pecador, mas, na verdade, é totalmente o contrário. As penas são uma consequência da própria natureza do pecado. Imagine que uma pessoa, ao tomar a decisão de matar alguém ou de fofocar e mentir, cometesse um ato que não tivesse nenhuma consequência para si mesma. Certamente o primeiro pensamento que teríamos seria de que houve uma injustiça. Desse modo, a cada pecado realizado (culpa) existe uma consequência (pena).

As penas chamadas de temporais são apegos e desordens que restaram no coração da pessoa que já cometeu o pecado. São como vestígios que o pecado deixou na pessoa. Esses apegos (vestígios) são frutos de qualquer pecado, seja o pecado grave perdoado devido à culpa, seja o pecado leve.

Em conclusão, compreende-se que o pecado gera CULPA na pessoa que o cometeu e tem a PENA como consequência. Por isso, qualquer pecado gera culpa e pena. Quem reza e pede perdão a Deus de suas ofensas deveria ao menos nutrir o desejo de receber, pelos meios deixados por Deus, o perdão das culpas e penas. A maneira de fazer isso será abordada nas próximas páginas. Agora, mergulhe na infinita misericórdia de Deus, busque o reto arrependimento e permaneça no Coração de Jesus pela oração.

Hora de rezar

O objetivo destes parágrafos não é fazer um terrorismo e gerar obsessão em sua consciência, mas ser uma forma clara de apresentar a verdade da fé católica. Assim, estas linhas desejam ajudar você a rezar bem e a corrigir os caminhos errados que foram escolhidos até o momento. Para isso, rezar é fundamental e indispensável, assim como confiar na misericórdia divina.

(Faça o sinal da cruz, respire profundamente e devagar. Quando soltar o ar, pronuncie a primeira das frases, depois respire novamente, pronuncie a outra e por fim a última. Faça três vezes a mesma sequência das três frases, o que totalizará nove preces.)

1. **Perdoai-nos as nossas ofensas;**
2. **Perdoai-nos as culpas de nossos pecados;**
3. **Apagai as penas que merecemos.**

Conserve mais alguns instantes de oração espontânea. Termine esta prece com a oração completa do pai-nosso, da ave-maria, do Glória ao Pai e faça o sinal da cruz para encerrar.

Acesse o QR CODE e reze com o Padre Alex Nogueira!

O perdão da culpa dos pecados

Como meditado anteriormente, o pecado gera culpas graves ou leves; e Deus, no seu infinito amor, manifesta o desejo de perdoá-las aos que sinceramente se arrependem. Assim disse Jesus a mulher adúltera: “Pois nem eu te condeno. Vai e de agora em diante não peques mais” (Jo 8,11). Para que não sejamos perdidos na condenação eterna, o misericordioso Coração de Jesus nos deixou o sacramento da Penitência, também chamado de Reconciliação ou Confissão. Esse sacramento tem o objetivo de perdoar os pecados graves ou leves cometidos após o batismo, isso quanto à CULPA de tais pecados.

Foi o Cristo ressuscitado quem soprou sobre os Apóstolos o poder de perdoar os pecados. Assim disse: “Recebei o Espírito Santo. Aqueles a quem perdoardes os pecados, serão perdoados; aqueles a quem retiverdes, serão retidos” (Jo 20,22-23). Jesus deixou na Igreja, aos sacerdotes, o poder de perdoar pecados, poder que vem do próprio Espírito Santo.

A experiência de receber o perdão dos pecados é um mergulho renovador feito no amor misericordioso de Deus. Pela força da Paixão, Morte e Ressurreição de Jesus, um pecador verdadeiramente arrependido, quando confessa seus pecados ao sacerdote, é perdoado. Essa expressão do amor de Deus provoca no diabo uma ira terrível, e por isso a tarefa dele é fazer o mundo perder o sentido do pecado, desacreditar na Igreja e no sacerdote e impulsionar bloqueios para que a pessoa não seja sincera na confissão.

Muitos trazem inúmeras dificuldades quando o assunto é confissão dos pecados. Alguns afirmam que o padre é pecador como qualquer um de nós e por isso não se confessam. Deus poderia ter escolhido anjos para celebrarem a missa, a Confissão e os sacramentos. Porém, quis eleger homens pecadores para que eles, conhecendo a fraqueza humana própria de sua condição, confiem apenas na graça de Deus e sejam instrumentos dele. Outros se perdem na vergonha do pecado cometido, na falta de confiança no sacerdote ou nos traumas de antigas confissões.

Tenha a coragem de dar um passo de fé e, com a força da graça de Deus, procure o sacramento da Confissão. Não permaneça mais em estado de pecado grave, liberte-se dessa escravidão, Deus quer de você apenas um coração arrependido e aberto para receber o perdão. O mínimo necessário exigido no segundo mandamento da Igreja é "confessar ao menos uma vez ao ano". Isso é o mínimo do mínimo e, às vezes, nem isso o católico aproveita. Não queira viver de "salário mínimo", espiritualmente falando, confesse-se mais de uma vez ao ano, sobretudo quando cair em pecado grave.

Objetivamente, procurar o sacramento da Confissão não é momento de longa conversa para conselhos, isso pode ser viável em outra ocasião. Na confissão deve-se acusar claramente quais pecados foram cometidos, começando pelos mais graves e sem justificativas infindáveis, como se o fiel não tivesse culpa e fosse apenas uma vítima. No sacramento da Confissão, se diz com sinceridade os pecados e se reconhece que a culpa é da própria pessoa que confessa e não de outra. Até pode ter tido colaboração de outro indivíduo, mas o que deve ser resolvido naquele momento é o seu pecado diante de Deus mediante o sacerdote que escuta.

Após confessar, ouça atentamente os breves conselhos, receba o perdão e depois cumpra a penitência que foi imposta, também chamada de satisfação. Tirado o peso dos pecados de seus ombros, decida-se pelo bom propósito de não tornar a cometê-los. Viva esta alegria de receber o perdão das culpas, e sinta-se revigorado na graça de Deus.

Hora de rezar

A Confissão é um tesouro deixado por Jesus. Você poderá, eventualmente, passar a vida toda ouvindo falar sobre esse tesouro, saber de sua existência, mas não dispor da coragem de romper consigo mesmo e abraçar esse sacramento. Peça ao Espírito Santo que lhe perdoe e lhe dê a coragem de confessar os seus pecados. Mesmo quem está acostumado a se confessar precisa rezar sempre, com o intuito de manter o sincero arrependimento em todas as confissões.

(Faça o sinal da cruz, respire profundamente e devagar. Quando soltar o ar, pronuncie a primeira das frases, de-

pois respire novamente, pronuncie a outra e por fim a última. Faça três vezes a mesma sequência das três frases, o que totalizará nove preces.)

1. **Perdoai-nos as nossas ofensas;**
2. **Curai-nos do medo de confessar;**
3. **Iluminai-nos a confessar os pecados.**

Conserve mais alguns instantes de oração espontânea. Termine esta prece com a oração completa do pai-nosso, da ave-maria, do Glória ao Pai e faça o sinal da cruz para encerrar.

Acesse o QR CODE e reze com o Padre Alex Nogueira!

O perdão das penas temporais dos pecados

Todos os fiéis que confessam seus pecados com o mínimo de arrependimento necessário recebem de Deus o perdão da culpa. Porém, o pecado, como um veneno que se alastrou pela alma, deixa seus vestígios. Tais vestígios são chamados de *pena*. A pena eterna (merecimento do inferno) é perdoada juntamente com a culpa na hora do sacramento da Confissão. Mas qualquer pecado cometido, depois de perdoada a culpa, deixa outros vestígios, ou seja, desordens e marcas chamadas oficialmente de penas temporais.

Quando a pessoa faz alguma coisa errada e percebe o quanto de confusão e desordem causou, um dos sentimentos que lhe sobrevém ao se arrepender é o de que precisa consertar aquilo que foi estragado. Se você quebrou um vaso numa loja, a pena será pagar por ele ou restituir um vaso igual. Assim, na alma, após o pecado, sobram bagunças a serem consertadas e reorganizadas. Nesse exemplo, embora o dono da loja lhe tenha perdoado a culpa por ter quebrado o vaso, a voz da consciência falará alto dentro de você e ficará um dever de reparar o que fez.

Após perdoada a culpa do pecado através da confissão, as penas temporais podem ser perdoadas, reparadas, através de uma INDULGÊNCIA. Esta não é, e nunca foi, o perdão dos pecados, visto que este acontece por meio do sacramento da Confissão. Lembro-me de quando fiz o curso de licenciatura em história, e o quanto era difícil explicar aos colegas e professores que a Igreja não vendia o perdão dos pecados na Idade Média. Na teologia católica a chamada "indulgência" não é o perdão das culpas dos pecados. Indulgência é a remissão, reparação diante de Deus, das "penas temporais" oriundas dos pecados perdoados devido à culpa na confissão. A Igreja tem o poder de oferecer os merecimentos de Cristo e dos Santos como forma de indulgência, pois Jesus disse a Pedro: "Eu te darei as chaves do Reino dos Céus. Tudo o que ligares na terra, será ligado nos céus; e tudo o que desligares na terra, será desligado nos céus" (Mt 16,19). A Igreja, como uma mãe, oferece aos seus filhos a indulgência plenária ou parcial. Será indulgência plenária quando se recebe o perdão de todas as penas temporais, merecidas pelos pecados cometidos após o batismo. Indulgência parcial, quando se recebe o perdão de uma parte das penas temporais merecidas. Quanto maior for o arrependimento e o amor com que se vive os atos de fé, a indulgência parcial será maior.

Para lucrar qualquer tipo de indulgência é preciso ter pelo menos a intenção de querer recebê-la, visto que a Igreja não obriga ninguém a receber. Por isso, é bom no início do dia, dizer a Deus que todos os atos bons e sofrimentos serão oferecidos na intenção de ganhar as indulgências parciais.

Para lucrar uma indulgência plenária, é preciso cumprir com a obra definida pela Igreja como, por exemplo: visitar o Santíssimo Sacramento para adorá-lo pelo menos por meia hora e a leitura espiritual da Sagrada Escritura, com a devida veneração, ao menos por meia hora. Aqui temos apenas dois exemplos de uma imensidão de oportunidades que a Igreja oferece para que alguém receba a indulgência plenária. Além da obra definida pela Igreja, também é preciso se confessar, receber a comunhão e rezar ao menos um pai-nosso, uma ave-maria e um Glória ao Pai na intenção do Papa.

Tendo cumprido essas quatro condições, não importando a ordem, exceto no caso da confissão de pecados graves, que deve vir antes da comunhão, a pessoa poderá lucrar uma indulgência plenária. Junto a isso, lembre-se de que a disposição de quem cumpre essas prescrições deve ser a de um arrependimento verdadeiro e de repulsa completa a todo pecado. Caso realize as obras sem o devido arrependimento, ao invés de receber a indulgência plenária, receberá a indulgência parcial proporcional ao amor que tenha manifestado a Deus, assim como a proporcionalidade do arrependimento.

Como últimos esclarecimentos sobre o assunto, saiba que só é possível ganhar indulgência para si mesmo ou para um fiel defunto. Desse modo, não é possível lucrar indulgência para outra pessoa que esteja viva. Indulgências parciais podem ser recebidas diversas vezes num mesmo dia, já a indulgência plenária só é recebida uma vez por dia. É preciso lembrar também que indulgências são recebidas por pessoas que não estão em pecado grave, ou seja, que já tenham se arrependido e confessado sacramentalmente. Caso o fiel não receba a purificação das penas temporais neste mundo, poderá passar pelo purgatório, onde receberá de Deus a misericórdia e a purificação das penas.

Por fim, não entenda que o sacramento da confissão é incompleto, visto que perdoa a culpa do pecado, mas não a pena. Ele é completo naquilo que foi instituído por Nosso Senhor, ou seja, para perdoar as culpas de cada pecado confessado após o batismo. Já as penas, são redimidas por força dos méritos de Cristo e dos santos, aplicados pela Igreja, a qual detêm neste mundo o poder de ligar e desligar.

Hora de rezar

Conforme a intensidade do amor e do arrependimento será o tamanho da indulgência recebida. Sozinho não se pode crescer no amor, por isso reze para Deus lhe conceder um amor ardente por ele, e uma repulsa sincera pelos pecados cometidos.

(Faça o sinal da cruz, respire profundamente e devagar. Quando soltar o ar, pronuncie a primeira das frases, depois respire novamente, pronuncie a outra e por fim a última. Faça três vezes a mesma sequência das três frases, o que totalizará nove preces.)

1. **Perdoai-nos as nossas ofensas;**
2. **Aumentai em nós o amor a vós;**
3. **Dai-nos o espírito de arrependimento sincero.**

Conserve mais alguns instantes em oração espontânea. Termine esta prece com a oração completa do pai-nosso, da ave-maria, do Glória ao Pai e faça o sinal da cruz para encerrar.

Acesse o QR CODE e reze com o Padre Alex Nogueira!

A caridade divina: remédio contra o pecado

Como foi lido anteriormente, a intensidade da caridade (amor) que frutifica na alma humana será o espaço que Deus encontrará na pessoa para agir com sua misericórdia. Como tal misericórdia é infinita, não há limites para alargar o coração para receber a caridade divina. Desse modo, quanto mais se ama a Deus e consequentemente se vive o amor ao próximo, mais espaço é aberto para a graça de Deus agir e menos espaço sobrará para o pecado.

A caridade divina ensinada aos homens é um remédio eficaz contra o pecado, pois, mergulhado nela, o fiel amará tanto a Deus que não terá disposição e coragem para ofendê-lo. A forma mais sublime de aumentar a caridade na alma humana é por meio do sacramento da Eucaristia. Pela comunhão eucarística, o frutificar da caridade preserva de pecados mortais, mantém a união e gera compromisso com os pobres.

Também ensina o *Catecismo da Igreja Católica*, no parágrafo 1395, que a Eucaristia não perdoa pecados graves e que o fiel precisa estar fora do pecado grave para receber a comunhão. Assim apresenta o Catecismo: "A Eucaristia não é destinada a perdoar pecados mortais. Isso é próprio do sacramento da Reconciliação. É próprio da Eucaristia ser o sacramento daqueles que estão na comunhão plena da Igreja".

Nesse sentido, a alma fora do pecado grave ou mortal, quando recebe a Eucaristia de forma devota e frutuosa tem a caridade divina aumentada dentro de si. E, como efeito de tal caridade, pecados veniais ou leves podem ser apagados. Assim ensina o parágrafo 1394 do *Catecismo*: "Como o alimento corporal serve para restaurar a perda das forças, a Eucaristia fortalece a caridade que, na vida diária, tende a arrefecer; e esta caridade vivificada apaga os pecados veniais. Ao dar-se a nós, Cristo reaviva nosso amor e nos torna capazes de romper as amarras desordenadas com as criaturas e de enraizar-nos nele".

Mas se a comunhão eucarística aumenta a caridade e pode até perdoar os pecados leves, é preciso compreender que não basta receber a comunhão de forma automática e sem a devida devoção, piedade, concentração e espírito de oração. Seria farisaísmo afirmar que comungar com o coração longe de Deus, e até em pecado grave, geraria automaticamente frutos espirituais como se a comunhão fosse algo mágico. Neste ponto, o conselho de São Paulo não pode ser esquecido: "Por isso, quem come o pão ou bebe o cálice do Senhor indignamente, peca contra o corpo e o sangue do Senhor. Portanto, que cada um se examine a si mesmo antes de comer deste pão e beber deste cálice; porque, quem come e bebe sem considerar o Corpo do Senhor, come e bebe sua própria condenação" (1Cor 11,27-29).

Por fim, o remédio para o pecado passa pelo verdadeiro arrependimento. A pessoa com confiança no amor misericordioso de Deus confessa seus pecados diante do sacerdote, que representa o próprio Cristo. Confessados os pecados graves, recebe frutuosamente a comunhão eucarística que aumenta a caridade, num estado de fortalecimento no amor para com Deus, o próximo e sobretudo os mais pobres.

Hora de rezar

Quanto mais se reza e pede o perdão dos pecados, mais você deve se esforçar por crescer na caridade. Por isso, reze a Deus que inflame cada vez mais o amor divino em seu coração.

(Faça o sinal da cruz, respire profundamente e devagar. Quando soltar o ar, pronuncie a primeira das frases, depois respire novamente, pronuncie a outra e por fim a última. Faça três vezes a mesma sequência das três frases, o que totalizará nove preces.)

1. **Perdoai-nos as nossas ofensas;**
2. **Acendei em nossos corações o fogo do vosso amor;**
3. **Fazei-nos receber a Eucaristia com amor e piedade.**

Conserve mais alguns instantes de oração espontânea. Termine esta prece com a oração completa do pai-nosso, da ave-maria, do Glória ao Pai e faça o sinal da cruz para encerrar.

Acesse o QR CODE e reze com o Padre Alex Nogueira!

7

Assim como nós perdoamos a quem nos tem ofendido

A oração do pai-nosso é um caminho de conversão e progresso espiritual, em que cada um dos pedidos possui uma ligação entre si. No capítulo anterior foram meditadas quais ofensas (pecados) pelas quais se espera receber o perdão de Deus. Na continuidade da oração, a lógica do perdão almejado virá ao fiel conforme as disposições e experiências em saber distribuir perdão.

Na história da Igreja, o emprego da palavra "ofensa" ou "dívida" foi causa de algumas discussões, sobretudo para a forma que deveria ser mencionada no pai-nosso. Visto que a oração está presente no Evangelho de São Lucas e São Mateus, o emprego das palavras é diferente entre os evangelistas. Em São Lucas, uma versão mais resumida do pai-nosso, usa-se a palavra "pecado", em sintonia com o que na língua portuguesa se diz "ofensa". Já São Mateus, que apresenta a versão mais longa, emprega o termo "dívidas".

Embora essencialmente haja diferença entre dívida e ofensa, o fiel que reza deve saber que é pecador, ofende a Deus e aos irmãos, e por isso é devedor de reparação pelo que fez. Desse modo, deve-se viver o conselho de

São Paulo: "Não tenhais dívida com ninguém, a não ser a da caridade mútua; pois quem ama o próximo cumpre plenamente a Lei" (Rm 13,8).

Ofensas do irmão

São inúmeras as ofensas e dívidas que as pessoas podem realizar contra você. Algumas são ofensas graves, outras nem tanto, porém sempre deixam lembranças e marcas na pessoa ofendida. Do quarto ao décimo mandamento da lei de Deus estão os preceitos que instruem a não provocar ofensas, a permanecer em união com o próximo de forma justa. Desse modo, meditaremos agora os tipos de ofensas que você já pode ter recebido de outra pessoa.

A primeira classe de ofensa contra o próximo, presente nos dez mandamentos, refere-se aos pais. As ofensas que pais guardam dos filhos e os filhos guardam de seus pais são marcas que, direta ou indiretamente, influenciam a vida presente. As atitudes e falas podem desonrar os pais quando atentam diretamente contra o respeito devido a eles e às leis de Deus. Durante o crescimento dos filhos, eles devem ser ensinados a fazer as próprias escolhas, visto que não estão obrigados, por toda a vida, a serem direcionados pelos pais. Por outro lado, também é verdade que, a qualquer tempo, quando um filho se decide por coisas contrárias à lei divina, ele precisará ser advertido pelos pais.

As ofensas dirigidas contra o próximo, pautadas no quinto mandamento, fundamentam-se no valor da vida humana. Atentar contra a vida de alguém é resultado de diversos pecados que se acumulam, por exemplo, por raiva, inveja, avareza, roubos. Alguém pode ter tentado o matar ou desejado com raiva a sua morte e isso é uma ofensa direta contra a sua pessoa. Há também corações feridos por um familiar ou amigo assassinado, ofensas que tiram pessoas amadas.

No sexto mandamento, as ofensas direcionadas na área da castidade podem atingir casados, consagrados e solteiros. Um dos cônjuges poderá ser infiel ao outro e isso gera profundos ressentimentos. Em qualquer estado de vida, ações de malícia e impureza sexual para com o outro, seja com violência ou não, também são causas de ofensas.

Furtar ofende o direito que o indivíduo tem de possuir e administrar os bens que Deus lhe confiou. Pessoas que foram assaltadas também carregam ofensas pelo desrespeito desse direito. No furto se tiram ocultamente as coisas alheias, e no roubo tais coisas são tiradas com violência. Também há ofensas por fraudes que injustamente são cometidas.

No oitavo mandamento, a ofensa está fundada nas mentiras que são contadas contra a pessoa, sobretudo quando há calúnias. Muitos ficam ofendidos pela falsidade das pessoas que proferem mentiras contra elas. As relações entre os fiéis cristãos precisam se fundamentar na verdade.

Quanto ao nono mandamento, a ofensa se dá em não respeitar o cônjuge do outro, seja com olhares ou com atos de infidelidade matrimonial. O décimo mandamento aborda as atitudes de cobiça dos bens alheios. Quando, em certas ocasiões, instala-se a inveja, ou seja, uma tristeza pelos bens espirituais ou materiais que o outro possui e a pessoa não tem. Muitas vezes você foi ofendido pela inveja e cobiça de outras pessoas, as quais trabalharam para que você fosse destruído ou perdesse o que possui.

Essas e tantas outras ofensas podem ser cometidas contra você. Seja com maior ou menor gravidade, tais ofensas ficam na lembrança. Em alguns casos, a ofensa é irreparável nos termos daquilo que se perdeu, por exemplo, quando seu familiar foi assassinado não há como tê-lo de volta. Porém, uma coisa é ser irreparável, outra é ser imperdoável. Um cristão, precisará aprender, com o Coração de Jesus, a perdoar tudo, visto que nada é imperdoável. Isso parece absurdo, mas não será para aquele que se abrir à experiência da fé que perdoa. Nos próximos tópicos apontaremos um caminho para viver o perdão.

Hora de rezar

Anteriormente foram descritas algumas das ofensas que você pode já ter vivido e que foram provocadas por outra pessoa. Cabe agora rezar para que Deus lhe ajude no caminho do verdadeiro perdão.

(Faça o sinal da cruz, respire profundamente e devagar. Quando soltar o ar, pronuncie a primeira das frases, depois respire novamente, pronuncie a outra e por fim a última. Faça três vezes a mesma sequência das três frases, o que totalizará nove preces.)

1. **Perdoai-nos as nossas ofensas;**
2. **Assim como nós perdoamos a quem nos tem ofendido;**
3. **Fortalecei-nos no caminho do perdão.**

Conserve mais alguns instantes de oração espontânea. Termine esta prece com a oração completa do pai-nosso, da ave-maria, do Glória ao Pai e faça o sinal da cruz para encerrar.

Acesse o QR CODE e reze com o Padre Alex Nogueira!

Vai primeiro te reconciliar

Após tomar consciência de quantas ofensas você já recebeu, seja de pessoas próximas ou não, é necessário entender que também nós podemos cometer ofensas contra o próximo. Consciente disso, um discípulo de Jesus tem a coragem de pedir perdão ao outro com humildade. As pessoas que foram ofendidas precisam ouvir o pedido de perdão, por mais constrangedor que seja.

Alguns podem assumir que erraram ao ofender o outro, porém tentam justificar dizendo que a outra pessoa também desferiu ofensas. Nessa situação, por vezes a pessoa determina que não pedirá perdão, pois espera primeiro a iniciativa do outro. Jesus, no sermão da montanha, pede que você tenha coragem e tome a iniciativa de pedir o perdão enquanto há tempo, visto que amanhã pode ser tarde demais: "Se estiveres para apresentar a tua oferta ao pé do altar, e ali te lembrares de que teu irmão tem qualquer coisa contra ti, larga tua oferta diante do altar e vai primeiro reconciliar-te com teu irmão. Então voltarás, para apresentar a tua oferta. Faze depressa as pazes com teu adversário enquanto estás a caminho com ele, para que o adversário não te entregue ao juiz e o juiz à polícia, e então serás lançado à cadeia. Eu vos declaro esta verdade: de lá não sairás enquanto não pagares o último centavo" (Mt 5,23-26).

Deus não quer receber o sacrifício daqueles que estão em inimizade, visto que o cumprimento dos atos religiosos, como a oferta do sacrifício no altar, requer um coração reconciliado e não dividido pela ofensa. O mandamento é este: "vai primeiro reconciliar-te com teu irmão. Então voltarás para apresentar a tua oferta" (Mt 5,24). Para pedir perdão, a pessoa deve ser sincera, reconhecer o erro que cometeu e, com coragem, externar o pedido.

Quando não há generosa acolhida do pedido de perdão pela outra parte, não permita que isso gere mais contendas, mas espere em Deus, e a seu tempo o Espírito Santo cuidará de tudo. De sua parte, esteja com o coração aberto à reconciliação, não importa quando ela chegará. No sermão da montanha, a advertência de Jesus recorda a necessidade de reconciliação ainda neste mundo, enquanto se está a caminho. Há muitos casos em que as pessoas deixam o perdão apenas para a hora da morte, adiam a reconciliação para o último momento. Não deixe para depois, faça a experiência do perdão enquanto há tempo. E, se não for possível antes, ao menos como último recurso, que seja na hora da morte.

O cristão aprende de Jesus a concórdia, a concordância do coração, que, como remédio eficaz, derrete a dificuldade de pedir perdão e de perdoar. Reconheça a necessidade de admitir que erramos, que outros também erram conosco, e nem por isso está dispensado o mandamento do Senhor: "vai primeiro reconciliar-te com teu irmão" (Mt 5,24).

Hora de rezar

Atitudes de reconciliação são tomadas em contextos de verdadeira fé e numa experiência de oração com Jesus. Rezar o pai-nosso dispõe o coração do orante para o caminho de perdão. Entre você também neste caminho!

(Faça o sinal da cruz, respire profundamente e devagar. Quando soltar o ar, pronuncie a primeira das frases, de-

pois respire novamente, pronuncie a outra e por fim a última. Faça três vezes a mesma sequência das três frases, o que totalizará nove preces.)

1. **Perdoai-nos as nossas ofensas;**
2. **Assim como nós perdoamos a quem nos tem ofendido;**
3. **Ensinai-nos a pedir perdão com humildade.**

Conserve mais alguns instantes de oração espontânea. Termine esta prece com a oração completa do pai-nosso, da ave-maria, do Glória ao Pai e faça o sinal da cruz para encerrar.

Acesse o QR CODE e reze com o Padre Alex Nogueira!

Rezar pelos inimigos

Ao ter consciência da necessidade de reconciliação, as pessoas podem encontrar dificuldade para dar os primeiros passos. Jesus ensinou o que deve vir primeiro: "a oração". Assim disse Jesus: "Amai os vossos inimigos e rezai por aqueles que vos perseguem!" (Mt 5,44). Para chegar ao amor é preciso rezar, orando de verdade pelos que lhe perseguem, ofendem e querem o seu mal.

O início do caminho do verdadeiro perdão e amor é a oração sincera. Rezar pelos inimigos é ingressar na escola de oração do Mestre pregado na cruz que diz: "Pai, perdoa-lhes, porque não sabem o que fazem" (Lc 23,34). Quem deseja perdoar as ofensas recebidas precisa rezar por aquele que o ofendeu. Este tipo de oração não pode ser genérico, isto é, não se pode colocar essa intenção no meio de tantas outras sem focá-la especificamente.

Por isso, escolha rezar por quem lhe ofendeu, oferecendo momentos de oração exclusivos na intenção da pessoa. Faça penitências, reze terços que tenham apenas essa intenção, escreva o nome da pessoa num papel, ajoelhe-se e reze pela conversão dela. Esses são exemplos, porém há muitas outras formas de rezar pelos inimigos.

Uma vez definidas as formas, agora devemos refletir sobre qual deve ser o conteúdo dessa oração. Ao rezar, não se deve querer o mal para o outro – que a pessoa sofra, receba de volta aquilo que lhe fez – ou ainda qualquer intenção movida pelo espírito de vingança, inveja ou cobiça. O conteúdo da oração deve ser movido pelo Espírito Santo, no puro amor que vem de Cristo. Reze para que a pessoa causadora da ofensa se converta, receba muitas graças, consiga cumprir com a Vontade de Deus e tenha a moção interior de se reconciliar no tempo certo e do jeito certo.

A oração pelos inimigos é o primeiro passo para um caminho espiritual de libertação do rancor, da raiva e da ira. Uma oração verdadeira, acompanhada de penitências, renúncias e amor quebrará o orgulho interior que não quer perdoar e que não quer receber o perdão. Como é triste ver pessoas que construíram um muro de inimizade entre elas, cada uma delas pintando o lado de seu muro com as tintas de justificativas e falsas motivações para permanecerem afastadas.

Assim, as pessoas vivem indiferentes umas às outras e acreditam que o muro construído entre elas é a melhor coisa que fizeram. Contam para si uma mentira e acreditam nela como se fosse verdade. O diabo, pai da mentira, torna cegas as pessoas que se ofenderam, alimentando nelas a divisão. Ele sempre fez isso na história e pode concretizar sua obra maléfica pautada no rancor e falta de perdão.

É hora de derrubar o muro das justificativas, falsas ideias e divisões, para se libertar das amarras da falta de perdão e das ofensas, iniciando um caminho de reconciliação e paz interior e exterior. Essa barreira é derrubada com uma arma eficaz, ou seja, a oração. Desse modo, rezar pelos inimigos com verdadeira disposição, querer apenas o sucesso e o bem para a outra pessoa, será o melhor caminho para uma vida nova.

Hora de rezar

Diante de Deus se apresente com sinceridade, exponha as ofensas que recebeu e peça a graça de poder rezar pelo bem daquele que lhe ofendeu. Rezar pelos inimigos é um ato de coragem possível para quem confia em Deus.

(Faça o sinal da cruz, respire profundamente e devagar. Quando soltar o ar, pronuncie a primeira das frases, depois respire novamente, pronuncie a outra e por fim a última. Faça três vezes a mesma sequência das três frases, o que totalizará nove preces.)

1. **Pelas ofensas recebidas, que retribuamos com amor;**
2. **Pelos males recebidos, que os perdoemos;**
3. **Dai-nos um coração que ama os inimigos.**

Conserve mais alguns instantes de oração espontânea. Termine esta prece com a oração completa do pai-nosso, da ave-maria, do Glória ao Pai e faça o sinal da cruz para encerrar.

Acesse o QR CODE e reze com o Padre Alex Nogueira!

Perdoar como Jesus

Se o primeiro caminho para perdoar é a oração, ela só pode ser feita por alguém que tem fé. Visto que, quando se reza, o diálogo interior é direcionado para alguém em quem confiamos e que é nosso Salvador e Redentor. Quanto maior é a fé, maior a intimidade na oração e os frutos que se recebe da atitude de orar.

Portanto, o segundo passo para perdoar é crescer na fé. Os Apóstolos pediram para Jesus: "Aumenta a nossa fé" (Lc 17,5). Peça também que sua fé cresça ainda mais, pois o perdão acontece num contexto de fé. Aprenda a acreditar em Jesus com uma confiança filial, sem barreiras e dúvidas. Imagine-se como uma criança de dois anos de idade que confia incondicionalmente em seus pais e vai para qualquer lugar com eles. Contemple as verdades de fé reveladas por Deus e, com atos de fé, aprimore sua capacidade de confiar.

A fé é uma virtude teologal e tal qual toda virtude é definida como um hábito bom. Se é virtude, é hábito, e todo hábito, por mais que tenha sido doado por Deus, precisa ser desenvolvido. No dia do batismo, a pessoa recebe a virtude da fé, porém, se não a exercitar constantemente, tal virtude permanece pequena e sem "habilidade". A fé virtude é como qualquer outro hábito, se não for exercitada não cresce e nem ganha habilidade. Deus oferece escolas para o crescimento da fé, principalmente em tribulações e provações em que só a fé será a resposta. Aproveite esses momentos e, em vez de reclamar, acolha o ensinamento de Deus e colha os frutos do crescimento da fé.

Se o perdão vem pela oração de uma pessoa que tem fé, é evidente que isso se sustenta pelo amor. Estas três realidades, amor, fé e oração estão interligadas e são a chave para encontrar o caminho para a forma de perdoar. Assim, a resposta sobre como perdoar está guardada no Coração de Jesus.

Porém, amar como Jesus amou não é uma tarefa fácil, ainda mais se a pessoa quer amar sem fé. Dizem alguns teólogos que o problema atual da Igreja é uma questão de "fé". De fato, ninguém consegue perdoar verdadeiramente se não tiver fé e, num contexto de fé, é preciso rezar com humildade para receber essa graça. Sozinho ninguém perdoa, mas com fé e pautado na virtude teologal do amor tudo se perdoa.

Não queira pagar ofensa com ofensa, mal com mal, trapaça com trapaça, injustiça com injustiça. Pelo contrário, queira devolver amor a qualquer tipo de mal recebido. No mundo isso é uma loucura, mas, para Deus, esse é o caminho do céu. O amor derrete o rancor, o amor cura a ofensa e é exatamente assim que uma vida divina será alcançada no coração dos seres humanos.

Romper com a lógica do mundo é recusar-se a ser igual às malícias deste mundo, é fazer a diferença como seguidor de Jesus. Assim ensinou o Mestre: "Pois se amais somente aqueles que vos amam, que recompensa tereis? Acaso os desprezados cobradores de impostos não fazem também assim? E se cumprimentardes somente a vossos irmãos, que fazeis de especial? Acaso os pagãos não fazem a mesma coisa?" (Mt 5,46-47).

Deus concedeu ao ser humano a dádiva de participar da vida divina através de sua graça. Quanto mais você estiver com Deus, mais capaz será de realizar atos de caridade divina. É por isso que na oração do pai-nosso se pede em primeiro lugar o perdão das "nossas ofensas", visto que, quando há arrependimento e abandono do pecado, o interior da alma se abre para a graça de Deus. Quem está em estado de graça experimenta dentro de si as labaredas do amor divino.

Tendo como pauta esta caridade que vai além dos critérios humanos, será possível ao fiel amar os inimigos e rezar por eles. Também aprenderá na "escola" da perseguição que Deus quer uma resposta da pessoa que tem fé: a caridade. Eis o caminho para viver o perdão: oração, fé e caridade. Não espere que tudo isso aconteça imediatamente em sua vida. Faça um caminho sincero e reze mais a cada dia, confie mais e ame mais, assim viverá como ensinou São Paulo: "enquanto temos tempo, façamos o bem a todos" (Gl 6,10).

Hora de rezar

O modelo do perdão está em Jesus Cristo. Nas situações concretas da vida, pense em primeiro lugar: "Como Jesus agiria e perdoaria nesta ocasião?" Reze e peça ao Espírito Santo as luzes da fé necessárias para esse processo de perdão.

(Faça o sinal da cruz, respire profundamente e devagar. Quando soltar o ar, pronuncie a primeira das frases, depois respire novamente, pronuncie a outra e por fim a última. Faça três vezes a mesma sequência das três frases, o que totalizará nove preces.)

1. **Jesus manso e humilde de coração;**
2. **Fazei o nosso coração semelhante ao vosso;**

3. Perdoai-nos as nossas ofensas, assim como nós perdoamos a quem nos tem ofendido.

Conserve mais alguns instantes de oração espontânea. Termine esta prece com a oração completa do pai-nosso, da ave-maria, do Glória ao Pai e faça o sinal da cruz para encerrar.

Acesse o QR CODE e reze com o Padre Alex Nogueira!

Compreender mais que ser compreendido

Uma canção e oração popular, atribuída aos ensinamentos franciscanos, pede a Deus tal atitude: "Ó Mestre, fazei que eu procure mais: consolar que ser consolado; compreender que ser compreendido; amar que ser amado. Pois é dando que se recebe. É perdoando que se é perdoado. E é morrendo que se vive para a vida eterna".

Quando se ouve este trecho, num primeiro momento a alma humana percebe a beleza divina que existe na prece, muitos se emocionam, outros ficam empolgados em querer vivê-la. Mas, não é só de emoção e intenções que se constrói o caminho de amor e perdão. Isso é feito no dia a dia da vida real, no lar de cada pessoa. É nesse contexto que estão os desafios.

Num lugar onde todos querem ter razão, querem que sua vontade prevaleça e não respeitam as limitações alheias é necessário entender a máxima: "compreender que ser compreendido". Isso demonstra que, por amor a Deus e ao próximo, a prioridade não sou eu, mas é Deus e o amor que devo ao próximo por causa do Mestre.

O caminho para compreender a outra pessoa não significa concordar com seu pecado, mas entender que, como você, o outro também erra. Entender o contexto em que a outra pessoa vive, as lutas pelas quais passou naquele dia, as frustrações que carrega e, acima de tudo, perguntar: Se eu estivesse no contexto da outra pessoa, sofrendo tudo o que ela sofre, será que não teria feito a mesma coisa, ou até pior?

A grandeza de alguém que tem fé e vive a caridade divina está na sua capacidade de, mesmo incompreendido pelos outros, saber compreendê-los primeiro. Mesmo que não receba o perdão do outro, querer perdoá-lo primeiro. Não sendo amado por ninguém, amar sem esperar afetos em retribuição.

Nesse sentido, atualmente se popularizou a chamada ladainha da humildade, que foi escrita no século XX pelo cardeal Merry del Val. Dessa oração, quatro petições chamam atenção para o assunto do perdão, amor e compreensão: "Que os outros sejam amados mais do que eu: Jesus, dai-me a graça de desejá-lo / Que os outros sejam estimados mais do que eu: Jesus, dai-me a graça de desejá-lo / Que os outros possam ser escolhidos e eu posto de lado: Jesus, dai-me a graça de desejá-lo / Que os outros possam ser louvados e eu desprezado: Jesus, dai-me a graça de desejá-lo".

Este caminho duro e exigente de renunciar ao amor-próprio e amar a Deus e ao próximo só poderá ser vivido por alguém que tem fé. O ser humano precisa redescobrir o caminho da humildade: a lógica do Evangelho, que é contrária à deste mundo. Só conseguirá compreender o outro aquele que colocou no altar do sacrifício o orgulhoso amor-próprio. Ao fazer isso, aprende a ver Deus com prioridade, e o próximo por causa do próprio Deus. Diante disso, é importante lembrar que a pessoa não deve renunciar ao amor que tem por si mesma, visto que também possui dignidade de filha adotiva de Deus, mas deve almejar o reto equilíbrio para superação dos amores desordenados.

Até agora se falou de compreensão para com a outra pessoa, porém também é justo saber compreender e conhecer a si mesmo. Seja sincero, reconheça as suas limitações e erros, no amor do Coração de Jesus veja-se compreendido, amado e convocado a uma vida nova. Ao coração arrependido, Deus perdoa, porém muitos têm dificuldades de internalizar o perdão divino que receberam. Além de perdoar o outro, perdoe a si mesmo, pois se as lágrimas do arrependimento já foram apresentadas a Deus, ele o terá perdoado.

Confie no amor misericordioso de Jesus, ele foi o primeiro a lhe compreender. Ele assumiu a vida humana, viveu em si as tentações da natureza humana, sabe aquilo que você passa e, com tudo isso, continua a lhe amar e compreender. Seja aberto a acolher esta compreensão divina e saiba que Deus lhe amou primeiro, ninguém conseguirá guardar para si um amor que transborda e que quer a nossa salvação.

O caminho da humildade que leva a compreender o outro não exclui a compreensão de si mesmo. Tanto o outro quanto você pertencem a Deus e foram feitos para ele. Quem compreende o outro sabe compreender a si e todos devem buscar o fundamento da compreensão, ou seja, achegar-se a Deus que perdoa as nossas ofensas no infinito amor, assim como nós perdoamos a quem nos tem ofendido.

Hora de rezar

Num caminho sincero de arrependimento, perdão e cura interior, muitas provações e ideias contrárias surgirão em você. Seja corajoso, reze, peça a Deus, e, fortalecido pela graça, diga a si mesmo: Deus tudo pode e ele irá me conduzir ao perdão.

(Faça o sinal da cruz, respire profundamente e devagar. Quando soltar o ar, pronuncie a primeira das frases, depois respire novamente, pronuncie a outra, e por fim a última. Faça três vezes a mesma sequência das três frases, o que totalizará nove preces.)

1. **Perdoai-nos as nossas ofensas;**
2. **Assim como nós perdoamos a quem nos tem ofendido;**

3. **Ajudai-nos a compreender mais que ser compreendidos.**

Conserve mais alguns instantes de oração espontânea. Termine esta prece com a oração completa do pai-nosso, da ave-maria, do Glória ao Pai e faça o sinal da cruz para encerrar.

Acesse o QR CODE e reze com o Padre Alex Nogueira!

8

Não nos deixeis cair em tentação

Nesta petição do pai-nosso, o fiel dirige uma prece confiante a Deus para ser fortalecido pela graça divina e não cair em tentação. Visto que a vontade humana é responsável pelas decisões, quando o homem é colocado diante da tentação, ele precisará de uma vontade firme para recusar a proposta tentadora.

Na primeira carta de São Pedro, há um versículo que contribui para a luta diária contra a tentação: "Vosso adversário, o Diabo, ronda qual leão a rugir, buscando a quem devorar. Resisti-lhe, firmes na fé!" (1Pd 5,8-9a). Existe uma batalha cotidiana, em que, para resistir ao ataque, é preciso ter fé. Assim como o perdão acontece num contexto de fé, a batalha da tentação também é vencida da mesma maneira.

Os ataques da tentação são constantes, mas os auxílios divinos também. As tentações buscam conduzir ao pecado. Recusar a tentação é dizer não ao pecado, consentir nela é pecar. O pecado gera uma inimizade com Deus; o estado de graça, pelo contrário, produz amizade. Desse modo, uma tentação é uma escolha entre permanecer na amizade com Deus ou se afastar dela.

Não significa que Deus queira se afastar de nós, mas são os homens que livremente decidem ser inimigos ou amigos de Deus. Pede-se na oração do pai-nosso que permaneçamos na graça e que fortalecidos por Deus vençamos a tentação. Por isso se diz: "não nos deixeis cair em tentação".

Qual a origem da tentação?

Deus amou tanto o mundo que mesmo após o pecado original de Adão e Eva continuou a chamar a humanidade para si. Deus tem um lugar para todos, um projeto de salvação para você. Assim afirma Jesus: "Há muitos lugares na casa de meu Pai. Se não fosse assim, eu vos teria dito, porque vou preparar um lugar para vós. E depois que eu me for e vos tiver preparado o lugar, virei outra vez e vos levarei comigo" (Jo 14,2-3). Ele preparou no céu um lugar para você, Deus lhe espera lá.

Porém, Satanás foi expulso da glória de Deus, pois, orgulhoso como é, queria o lugar de Deus. O demônio perdeu o lugar dele no céu e essa foi sua escolha definitiva, isto é, eterna. O orgulhoso inimigo de Deus agora tem inveja do ser humano a quem foi reservado um lugar no céu. Assim, o diabo quer convencer o ser humano, através de mentiras, de que assim como ele também deve recusar o seu lugar no céu.

A primeira origem da tentação é o próprio demônio. Ele se utiliza de artimanhas para iludir o ser humano e fazê-lo cair na tentação. No jardim do Éden, a serpente conta uma mentira com aparência de verdade ao dizer: "Mas Deus sabe que no dia em que dele comerdes, vossos olhos se abrirão, e sereis como Deus, conhecendo o bem e o mal" (Gn 3,5). Aqui está a tentação, uma mentira que tem boa aparência, algo encantador.

A segunda origem da tentação é o mundo. Embora tudo o que foi criado por Deus seja bom, e o ser humano possa chegar a Deus através da razão ao contemplá-lo, deve-se tomar cuidado para não colocar as criaturas no lugar de Deus. A tentação de amar tanto as coisas criadas a ponto de se esquecer do Criador tem origem no mundo, mas também é provocada direta ou indiretamente pelo demônio.

O mundo traz propostas fáceis e sedutoras, e o cristão não deve se mundanizar, pois não pertence ao mundo. Disse Jesus: "Se fôsseis do mundo, o mundo amaria como ama o que é seu; mas, porque não sois do mundo e pelo fato de eu vos ter escolhido do meio dele, o mundo vos odeia" (Jo 15,19). Embora estejamos no mundo, não se pode ceder ao espírito do mundo que é contrário à vontade de Deus.

Outras tentações têm origem em pessoas concretas, que querem lhe conduzir pelo caminho do pecado. Amizades que corrompem o caráter, que levam a ocasiões de pecado e que incentivam a decidir pelo pecado. Pessoas de consciência corrompida que dão maus exemplos ou conselhos. Pessoas que, já iludidas pelas mentiras do mal, defendem e pregam aquilo pelo que estão ofuscadas.

Por último, a tentação pode ter origem na própria pessoa, ou seja, nas suas paixões. Não entenda paixão no sentido de duas pessoas que iniciaram um relacionamento amoroso. O termo paixão, na tradição cristã, aponta para as diversas emoções interiores que surgem daquilo que a pessoa sente. O *Catecismo da Igreja Católica* explica o que são paixões e quando elas são um pecado. O parágrafo 1763 define: "O termo 'paixões' pertence ao patrimônio cristão. Os sentimentos ou paixões designam as emoções ou movimentos da sensibilidade que inclinam alguém a agir ou não agir em vista do que é experimentado ou imaginado como bom ou mau". Tais movimentos da sensibilidade surgidos numa pessoa podem ter sua raiz no irascível ou no concupiscível. Irascível como movimento de força interior para querer ou não uma coisa e assim empreender o ímpeto para conquistá-la. O concupiscível como movimento voltado para aquilo que não exige muito esforço, basta alcançar aquilo que é fácil e prazeroso.

Em si, tais movimentos no interior do ser humano despontam apenas como tentações para agir de uma forma ou outra e, por isso, devem ser dominadas na alma humana. Não se deve ser escravo das paixões, mas dominá-las e encontrar um caminho para o bem.

Deus sempre respeitará a liberdade humana diante das escolhas de ceder ou não a uma tentação. Infelizmente alguns fiéis deixam seus corações serem tomados pela tentação. Isso é um ato de sua liberdade pois, embora Deus continue a fazer inúmeros apelos de conversão, a pessoa pode continuar naquela decisão pela tentação. Assim aconteceu com Judas na última ceia, conforme o evangelista São João narra em seu Evangelho: "Durante a ceia, quando o diabo já havia insinuado no coração de Judas Iscariotes o propósito de entregá-lo" (Jo 13,2).

Judas está na última ceia, há a presença de Jesus e dos Apóstolos, que recebem o sacerdócio pleno, mesmo assim seu coração está decidido a trair o Mestre. Essa é uma decisão de ceder à tentação e, como parte da vontade livre do ser humano, Deus a respeita. Não fomos criados como robôs, mas como seres livres para decidir amar a Deus. Entretanto, há por todos os lados tentações que levam ao oposto do amor.

Seja a tentação que tem origem direta no demônio, no mundo, nas pessoas ou paixões humanas, é sempre necessário discernir quando se passa por situações de tentação. Mesmo que não esteja tão clara a origem da tentação, uma atitude deve ser universal em todas as ocasiões: a luta para não cair na tentação.

Hora de rezar

A tentação é uma proposta de se afastar do amor de Deus e escolher coisas inferiores. Não permita que sua vontade se contente com migalhas das coisas mundanas, queira as coisas do alto e reze constantemente.

(Faça o sinal da cruz, respire profundamente e devagar. Quando soltar o ar, pronuncie a primeira das frases, depois respire novamente, pronuncie a outra e por fim a úl-

tima. Faça três vezes a mesma sequência das três frases, o que totalizará nove preces.)

1. Não nos deixeis cair em tentação;
2. Não nos deixeis ser dominados pelas paixões desordenadas;
3. Não nos deixeis cair nas ciladas do inimigo oculto.

Conserve mais alguns instantes de oração espontânea. Termine esta prece com a oração completa do pai-nosso, da ave-maria, do Glória ao Pai e faça o sinal da cruz para encerrar.

Acesse o QR CODE e reze com o Padre Alex Nogueira!

Jesus foi tentado

Jesus também foi tentado pelo demônio. Tendo assumido a natureza humana, passou pelas tribulações e tentações que o homem passa, como afirma a carta aos Hebreus: "ele foi tentado em tudo como nós o somos, mas não cometeu pecado" (Hb 4,15). Os Evangelhos relatam que Jesus, ao iniciar a sua vida pública com a manifestação dos sinais messiânicos, foi tentado pelo demônio no deserto.

Segundo São Gregório Magno, as três tentações de Jesus no deserto possuem uma relação com as tentações apresentadas no jardim do Éden a Adão e Eva. A primeira tentação de Jesus, segundo a narração de São Mateus, apresenta-se desta forma: "Aproximou-se o tentador e disse-lhe: 'Se és Filho de Deus, ordena que estas pedras se tornem pães'!" (Mt 4,3).

Esta é uma maneira imediatista para sanar a fome e que leva à gula, mediante o uso imoderado do alimento corporal. Para Eva, a serpente ofertou o "fruto" do conhecimento do bem e do mal: "A mulher viu que a árvore era apetitosa para se comer, de aspecto atraente e desejável para adquirir inteligência" (Gn 3,6). O desejo de tomar aquilo que lhe era proibido, somado ao da gula desenfreada, levou à concretização do primeiro pecado humano. O pecado da gula esteve no jardim do Éden e também no deserto quando o demônio oferece a Jesus pedras a serem transformadas em pães.

A segunda tentação de Jesus foi: "Se és Filho de Deus, atira-te daqui abaixo! Pois está escrito: 'A seus anjos dará ordens a teu respeito, e eles te carregarão nas mãos, para que não tropeces em alguma pedra'" (Mt 4,6). Segundo São Gregório, aqui está a tentação da vanglória: o diabo quer uma apresentação espetaculosa de Jesus, para provocar fama e atenção meramente mundanas. No jardim do Éden o primeiro casal é tentado a "querer ser como Deus" (Gn 3,5), a criatura que deseja ocupar o lugar do criador. Isso é a busca de uma glória vã e vazia, que ilude a alma humana e faz a soberba tomar conta do coração. O demônio é soberbo pois quer uma iminência (superioridade) que não tem e nunca terá, convencendo Adão e Eva a buscarem a mesma soberba. Jesus venceu essa tentação no deserto ao responder: "Também está escrito: 'Não tentarás o Senhor teu Deus!'" (Mt 4,7).

Na terceira tentação, o demônio "mostrou-lhe todos os reinos do mundo com seu esplendor e lhe disse: 'Todas estas coisas te darei se, prostrado, me adorares'" (Mt 4,8-9). A oferta de dar os reinos do mundo está alicerçada na posse de tais reinos. O ato de "ter" os reinos e, consequentemente, a sua glória leva a acumular tais coisas para si. São Gregório afirma que a tentação de possuir e guardar tudo se chama avareza, e o demônio já havia oferecido semelhante proposta para Adão e Eva, quando os tentou a serem acumuladores do "conhecimento do bem e do mal" (Gn 3,5-6).

O avarento cobiça tudo para si, é egoísta e não consegue se desapegar para repartir. Seu entendimento é de que tudo é seu e morrerá para defender coisas materiais que passam. Para vencer a tentação de se achar dono e acumulador das coisas, será necessário reconhecer que tudo pertence a Deus, veio dele e voltará para ele. Os homens são meros administradores de tudo o que Deus lhes confiou. Chegar a essa atitude só é possível para aquele que consegue reconhecer para si um único Deus e nenhum outro; por isso, a resposta dada por Jesus diante da tentação é sábia: "Retira-te, Satanás! Porque está escrito: 'Adorarás ao Senhor, teu Deus, e somente a ele prestarás culto'" (Mt 4,10).

Conforme a reflexão de São Gregório Magno as três tentações – gula, vanglória e avareza – também foram vividas pelos primeiros pais e são vividas por todos os cristãos. Jesus as venceu e ensina que confiar inteiramente na sua graça será o caminho para que o fiel seja também um vencedor. Tradicionalmente, além das três tentações expostas acima, é possível perceber que são manifestas as inclinações desenfreadas do "ter", do "poder" e do "prazer", as quais podem levar o ser humano à perdição, sobretudo quando não se reconhece Deus como o centro e provedor de tudo. O movimento da tentação quer que consideremos o homem como o centro e que Deus seja colocado em segundo plano.

Hora de rezar

Aparentemente o pecado será uma forma de solução imediata e, de certa maneira, boa, como foi a tentação vivida por Jesus. Mas a força da verdade e o empenho em reconhecer o devido lugar de Deus desmascara a mentira do pecado. Quanto mais oração, mais a luz da verdade dissipará a mentira do pecado.

(Faça o sinal da cruz, respire profundamente e devagar. Quando soltar o ar, pronuncie a primeira das frases, depois respire novamente, pronuncie a outra e por fim a última. Faça três vezes a mesma sequência das três frases, o que totalizará nove preces.)

1. Não nos deixeis cair na gula;
2. Não nos deixeis cair na vanglória;
3. Não nos deixeis cair na avareza.

Conserve mais alguns instantes de oração espontânea. Termine esta prece com a oração completa do pai-nosso, da ave-maria, do Glória ao Pai e faça o sinal da cruz para encerrar.

Acesse o QR CODE e reze com o Padre Alex Nogueira!

A permissão de Deus à tentação

Um dos questionamentos frequentes sobre a tentação está no porquê de Deus todo-poderoso permitir que o diabo tente o ser humano. A compreensão de tal inquietação deve passar pelo mistério da Providência Divina. Deus, que criou os seres humanos livres para decidirem amar ou rejeitar o Criador, permite que sejamos tentados pois “sabemos que todas as coisas concorrem para o bem dos que amam a Deus” (Rm 8,28).

Tenha consciência de que mesmo de uma tentação provocada pelo demônio, Deus poderá sempre tirar um bem. Por conta disso, da parte dos fiéis, é necessário saber quais benefícios espirituais são alcançados em situações de tentação. Pois, se Deus permite é porque poderemos crescer e chegar até ele quando nos vem a tentação.

O entendimento sobre o mistério do amor divino leva à conclusão de que Deus nunca permite que sejamos tentados além de nossas forças, como afirma São Paulo: "Deus é fiel: não permitirá que sejais tentados acima das vossas forças, mas, com a tentação, vos dará também o meio de livrar-vos e a força para que possais suportá-la" (1Cor 10,13). Desse modo, ao ser tentado busque a Deus com sinceridade, retidão e confiança. Ele jamais faltará com a graça necessária para ajudá-lo a vencer. O grande problema é que devido a apegos e revoltas interiores, não se busca a Deus como deveria no momento da tentação. Isso faz a pessoa pensar que não tem forças suficientes para vencer a tentação, que é fraca e nunca conseguirá resistir.

O exercício espiritual de buscar a Deus e de se abandonar à ação de sua graça deve ser reafirmado todos os dias. E, quanto maior for a tentação, maior deve ser o empenho de permanecer em Deus. O cristão pode usar os momentos de tentação para crescer ainda mais na vida íntima com Deus. Da mesma forma que um atleta precisa passar por duros treinamentos para alcançar a vitória, a alma também precisa passar pelas provações da tentação para se fortalecer e firmar na decisão de amar incondicionalmente a Deus.

Viver a tentação também conduz a uma prova de fidelidade, pois quanto maior é a provação mais intensa deve ser a resistência e, consequentemente, mais fidelidade ao bom propósito será gerada. Nesse contexto, as virtudes humanas e teologais serão fortalecidas, pois é "no fogo que o ouro e a prata são provados" (Sr 2,5). O ouro e a prata precisam de alto aquecimento para se tornarem maleáveis e assumir o formato desejado. Assim, o ser humano provado no fogo da tentação poderá ser moldado por Deus numa alma fiel. Para isso, é preciso o dom da fortaleza, o qual está ligado diretamente a uma decisão firme e estável de fazer o bem independente das contrariedades.

Ao resistir às tentações, o fiel aumenta os seus merecimentos no céu, pois mostrará que sua vontade não está encantada por coisas passageiras e efêmeras deste mundo. A vontade demonstra sua direção e meta por aquilo que é eterno e verdadeiro. A vontade não quer o conteúdo daquilo que oferece a tentação, mas as realidades celestes que são valorosamente mais importantes.

Assim, a permissão de Deus é explicada pela Providência, visto que esta autoriza ambientes nos quais o cristão prove sua fidelidade, fortaleça e cresça nas virtudes, aumente os merecimentos no céu. Sabe-se que o ser humano, quando recebe coisas pelas quais ele não lutou para conquistar, dará menor valor a elas e poderá até desprezá-las. Porém, quando luta e empreende forças para conquistar alguma coisa, o valor dado àquilo que se conquista é muito maior. Nesse sentido, Deus, ao permitir que sejamos tentados, leva-nos a valorizar o estado de graça da alma, fortalecendo-a para que ela possa recusar a tentação; visto que, se houver nela consentimento à tentação, isso a levará a romper com essa graça.

Seria muito cômodo da parte do ser humano que Deus não permitisse nenhuma tentação provocada pelo demônio. Isso geraria um comodismo espiritual e, ao invés de crescer na virtude e na graça, a pessoa estacionaria por não ser desafiada em sua decisão livre para permanecer em Deus.

Hora de rezar

Deus, na Providência de seu amor, permite que o ser humano seja tentado. Isso acontece para que, confiante na graça de Deus, o ser humano livremente decida pelo bem e recuse com veemência o mal. Por isso, a oração nos fortalecerá diariamente para não cairmos em tentação.

(Faça o sinal da cruz, respire profundamente e devagar. Quando soltar o ar, pronuncie a primeira das frases, depois respire novamente, pronuncie a outra e por fim a última. Faça três vezes a mesma sequência das três frases, o que totalizará nove preces.)

1. **Não nos deixeis cair em tentação;**
2. **Não nos deixeis permanecer na preguiça espiritual;**
3. **Não nos deixeis duvidar da graça de Deus.**

Conserve mais alguns instantes de oração espontânea. Termine esta prece com a oração completa do pai-nosso, da ave-maria, do Glória ao Pai e faça o sinal da cruz para encerrar.

Acesse o QR CODE e reze com o Padre Alex Nogueira!

Sentir não é consentir!

Ao constatar uma tentação em sua vida, não a compreenda imediatamente como pecado, isso porque só existirá pecado quando houver decisão por escolher e que concretize a tentação. Ser tentado não é um pecado, assim como sentimentos involuntários também não são pecados. Sendo assim, quando haverá pecado?

Há muita confusão entre as pessoas, pois elas acreditam que o simples fato de sentir alguma coisa já seja um pecado. Para esclarecer essa inquietação, você deve entender que o ser humano é um composto de corpo e alma, possui a faculdade da inteligência e da vontade e, por ter um corpo, é possuidor de sentimentos. Os sentimentos, na tradição cristã, são chamados de paixões, ou seja, movimentos da sensibilidade humana que contribuem para a vontade de decidir fazer ou não fazer alguma coisa.

Desse modo, todo ser humano possui sentimentos (paixões) que surgem, na maioria das vezes, involuntariamente. Dado que o pecado só será pecado quando há uma decisão direta da vontade, a qual livremente opta por realizar um ato pecaminoso, o simples fato de sentir alguma coisa ainda não é pecado. Por isso ensina o *Catecismo da Igreja Católica* em seu número 1767: "Em si mesmas, as paixões (sentimentos) não são boas nem más. Só recebem qualificação moral na medida em que dependem efetivamente da razão e da vontade".

Um dos pontos principais para a constatação de um pecado é a vontade livre de praticar aquele ato. Todo sentimento vai se tornar pecado a partir do momento que a vontade passar a decidir por aquele sentimento, o que comumente é chamado de consentir. Digamos que uma pessoa foi ofendida e naquele momento surgiu um sentimento de raiva, o simples fato do surgimento involuntário da raiva ainda não é propriamente um pecado; porém, naquele mesmo instante, se a vontade aprovar o sentimento e decidir alimentá-lo, então haverá de fato um pecado. Há uma diferença entre sentir e consentir, visto que no primeiro (sentir) o sentimento surgiu involuntariamente e não foi pecado. No segundo (consentir), após o surgimento do sentimento, a vontade decidiu permanecer nele ou mesmo não tomou nenhuma atitude para impedir que crescesse.

Quando você tem sentimentos que estão muito desordenados, o primeiro ponto para buscar uma reta ordenação é pedir ao Espírito Santo que venha em seu auxílio. Não se perca em perturbações desnecessárias, as quais manifestarão que sua confiança na graça está comprometida. Quanto mais ficar inquieto ao perceber as tentações, maior será o nervosismo e mais propenso você estará ao pecado. Nunca se esqueça que a tentação ou o sentimento involuntário ainda não é pecado. Acalme-se, reze e decida-se pela graça de Deus.

Muitas vezes o aumento de sentimentos desordenados é consequência de um coração que está dividido e encantado pelas propostas do pecado. Por isso, quanto mais na graça de Deus estiver, mais ordenados estarão os seus sentimentos, porém não se pode esquecer que mesmo assim surgirão tentações, seja advindas do demônio ou dos próprios sentimentos desordenados. Em toda situação, tenha um coração entregue totalmente a Deus e saiba que apenas o fato de ser tentado ainda não é pecado.

Hora de rezar

Não é possível negar a natureza humana que possui um corpo e foi maravilhosamente criada por Deus. Sentir faz parte da constituição do ser humano, por isso você deve decidir em consentir nas coisas boas e rejeitar as más. Tal discernimento se faz num contexto de sincera oração.

(Faça o sinal da cruz, respire profundamente e devagar. Quando soltar o ar, pronuncie a primeira das frases, de-

pois respire novamente, pronuncie a outra e por fim a última. Faça três vezes a mesma sequência das três frases, o que totalizará nove preces.)

1. **Não nos deixeis cair em tentação;**
2. **Não nos deixeis consentir no mal;**
3. **Não nos deixeis dividir o coração.**

Conserve mais alguns instantes de oração espontânea. Termine esta prece com a oração completa do pai-nosso, da ave-maria, do Glória ao Pai e faça o sinal da cruz para encerrar.

Acesse o QR CODE e reze com o Padre Alex Nogueira!

Vencer a tentação

Para vencer uma tentação, será necessário recordar de situações em que o ser humano foi derrotado e aprender com tais derrotas. No jardim do Éden foi estabelecido um diálogo entre Eva e o tentador, nesse diálogo a serpente utiliza de astúcia e confunde Eva. A mentira é apresentada como algo bom e verdadeiro, e no final do diálogo "a mulher viu que a árvore era apetitosa para se comer, de aspecto atraente e desejável para adquirir inteligência. Tomou então do fruto e comeu. Deu também ao marido, que com ela estava, e este comeu" (Gn 3,6). Para vencer a tentação não se deve aceitar um diálogo com o tentador, visto que ele é um anjo decaído e tem muitos instrumentos de convencimentos que causam confusão. Com o tentador não se conversa, pelo contrário, deve-se fugir dele.

Um dos primeiros passos para vencer a tentação é fugir das ocasiões que podem levar ao pecado, não acreditando que se vencerá um diálogo com o tentador. O orgulho pode convencer interiormente uma pessoa de que ela conseguirá vencer sozinha ou que possui suficiente capacidade para dialogar com o tentador. Só se vence a tentação pelo caminho da humildade, pelo qual se reconhece a própria limitação e total dependência de Deus. Não lute sozinho, peça sempre a força da graça de Deus e não queira dialogar com a tentação. Como o diabo é orgulhoso desde o dia de sua revolta contra Deus, ele tentará lhe derrotar fazendo-lhe acreditar que você é forte o suficiente para resistir à tentação sozinho. Essa é mais uma das mentiras do astuto e mentiroso demônio.

Uma forma de fortalecer sua vontade para recusar as tentações é através da prática de penitências e renúncias voluntárias. Quando um fiel realiza uma renúncia, ele está treinando sua vontade para ficar firme, visto que se agora há capacidade para dizer não a alguma coisa, quando vier a tentação ele estará forte o suficiente para recusá-la também.

Pense, como exemplo, numa pessoa que submeteu sua vontade a dizer não ao chocolate durante toda a quaresma, mesmo que tal alimento não seja ilícito, voluntariamente decidiu fazer essa recusa como penitência. Essa prática leva a pessoa a fortalecer a vontade, isto é, a "dizer não", pois durante os quarenta dias muitas foram as ocasiões em que sentiu o desejo de consumir chocolate, mas em todas elas a vontade se fortalecia cada vez mais por recusá-lo. Após esse tipo de treinamento, quando surgir uma tentação, contando com a força da graça de Deus, a pessoa terá mais firmeza para rejeitar o pecado.

Por isso, a Igreja sempre recomendou a prática da penitência, visto que ela fortalece a vontade e treina a pessoa na firmeza em lutar contra a tentação. Uma vez treinada a vontade, não seja presunçoso a ponto de querer abandonar as penitências ou pensar que pode vencer sozinho. Pelo contrário, quanto mais fortalecida estiver a vontade, maior deve ser a busca por permanecer em Deus e se refugiar nele. Não se esqueça: fuja da tentação para não ser vencido por ela.

Mesmo com a prática da penitência, realidades de desordem interior continuarão a aparecer no ser humano. Assim, quando os sentimentos desordenados surgirem involuntariamente devido às situações a que você foi exposto, volte-se para Deus, use a razão para dominar a vontade e "não se perturbe, nem desfaleça o vosso coração" (Jo 14,27). Tome a firme decisão de não ofender a Deus com o pecado, confie na graça de Deus e se refugie debaixo do manto maternal da Virgem Maria, local em que encontrará abrigo contra toda tentação.

Um exercício eficaz é elevar os pensamentos para as coisas de Deus, lembrar de Nossa Senhora, dos santos, dos fatos belos e verdadeiros que Deus fez por nós. Recorde que Deus preparou um lugar no céu para você e que vale a pena renunciar tudo neste mundo para chegar lá. Sempre que estiver povoado de pensamentos maliciosos e pecaminosos, desvie sua atenção deles e se volte para as maravilhas de Deus.

Reze quando tomar consciência de uma tentação, tenha em mente orações curtas e simples, porém que sejam rezadas com devoção e piedade. Rezar durante a tentação é se manter em posição de batalha para não cair em tentação. Volte seu olhar para um crucifixo, ou qualquer imagem religiosa que lhe faça purificar a visão e voltar sua confiança às coisas de Deus.

Em resumo, seja humilde, fortaleça-se em Deus para recusar às tentações. Fuja das ocasiões de pecado, não procure dialogar com a tentação. Fortaleça sua vontade com a prática da penitência, reze em todas as circunstâncias de provação e tentação, voltando seu pensamento às coisas de Deus e desviando a atenção das coisas falsas e mentirosas.

Hora de rezar

A tentação será vencida por aquele que reza de maneira confiante e pede que seja fortalecido para não cair em tentação. Rezar faz muito bem e será o caminho para permanecer em Deus.

(Faça o sinal da cruz, respire profundamente e devagar. Quando soltar o ar, pronuncie a primeira das frases, depois respire novamente, pronuncie a outra e por fim a última. Faça três vezes a mesma sequência das três frases, o que totalizará nove preces.)

1. **Não nos deixeis cair em tentação;**
2. **Não nos deixeis abandonar a oração;**
3. **Não nos deixeis perder a humildade.**

Conserve mais alguns instantes de oração espontânea. Termine esta prece com a oração completa do pai-nosso, da ave-maria, do Glória ao Pai e faça o sinal da cruz para encerrar.

Acesse o QR CODE e reze com o Padre Alex Nogueira!

9

Mas livrai-nos do mal. Amém.

Na última petição do pai-nosso, ao clamar que sejamos livres do mal, será necessário entender que o mal por excelência que afeta o ser humano é o pecado, causador de uma inimizade com Deus. Quanto mais no pecado estiver mergulhada a pessoa, mais distante do sumo Bem ela estará.

"Deus é amor: quem permanece no amor, permanece em Deus, e Deus nele" (1Jo 4,16). Eis que Deus não é o provocador do mal, visto que nele só há bem, só existe amor. O demônio decidiu, livremente e pelo orgulho, afastar-se do bem, por isso sua atitude é má. Embora Deus o tenha criado como um anjo bom, ele livremente decidiu se afastar do bem. Quanto mais longe do bem, mais se pode dizer que o ser está no mal. O mal como uma força igual a Deus não existe, diz-se que algo é mal quando há ausência do bem.

O demônio foi o primeiro a decidir se afastar do Bem supremo, por isso ele é o autor e princípio do pecado. Pecado que contaminará toda a humanidade, exceto a Virgem Maria e seu filho Jesus. O mal, no singular, entendido como nocivo para a alma humana, é o pecado, por isso Jesus ensina a rezar: livrai-nos do mal.

O pai da mentira

Jesus, segundo o Evangelho de São João ensina: "Vós tendes o diabo por pai, e quereis cumprir os desejos de vosso pai. Ele foi assassino desde o começo do mundo e jamais esteve com a verdade, porque nele não há verdade. Quando ele mente, faz o que lhe é próprio: ele é mentiroso e pai da mentira" (Jo 8,44). O império do demônio está alicerçado na mentira, e toda mentira se atira diretamente contra o projeto de Jesus, visto que ele é a verdade. O mal contra o qual se luta e do qual se pede para que sejamos livres é o próprio pai da mentira. Segundo o *Catecismo da Igreja Católica* em seu número 2851, o pedido do pai-nosso não é direcionado contra um mal ideal, por isso esse texto nos ensina: "Neste pedido, o Mal não é uma abstração, mas designa uma pessoa, Satanás, o Maligno, o anjo que se opõe a Deus. O diabo (*diabolos*) é aquele que se atira no meio do plano de Deus e de sua obra de salvação realizada por Cristo".

O diabo quer dividir e destruir a obra de Cristo, porém ele sabe que já foi derrotado, mas alimenta uma mentira que ilude os homens e quer fazê-los se perder na confusão. Ele é um anjo criado por Deus, portanto um ser espiritual, que se perverteu e está ansioso para perverter os homens. No mundo atual, ele deseja plantar a mentira de que ele mesmo não existe ou de que sua existência é uma ideia ultrapassada, um mito; ou mesmo a ideia de que ele até pode existir, mas é inofensivo. Atualmente o Papa Francisco, para alertar sobre esta mentira plantada pelo diabo em diversos corações, reafirma na Exortação apostólica *Gaudete et exsultate,* no número 160, a doutrina da Igreja sobre a existência e operação do demônio no mundo: "Não admitiremos a existência do demônio se nos obstinarmos a olhar a vida apenas com critérios empíricos e sem uma perspectiva sobrenatural. A convicção de que este poder maligno está no meio de nós é precisamente aquilo que nos permite compreender por que, às vezes, o mal tem uma força destruidora tão grande. É verdade que os autores bíblicos tinham uma bagagem conceitual limitada para expressar algumas realidades e que, nos tempos de Jesus, podia-se confundir, por exemplo, uma epilepsia com a possessão do demônio. Mas isso não deve nos levar a simplificar demais a realidade afirmando que todos os casos narrados nos Evangelhos eram doenças psíquicas e que, em última análise, o demônio não existe ou não intervém. Sua presença consta nas primeiras páginas da Sagrada Escritura, que termina com a vitória de Deus sobre o demônio. De fato, quando Jesus nos deixou a oração do pai-nosso, quis que a concluíssemos pedindo ao Pai que nos livrasse do Maligno. A expressão usada não se refere ao mal em abstrato; a sua tradução mais precisa é 'o Maligno'. Indica um ser pessoal que nos atormenta.

Jesus nos ensinou a pedir cada dia esta libertação para que o seu poder não nos domine".

Infelizmente, alguns teólogos resumem as manifestações demoníacas apenas a causas psíquicas. Como disse o Papa, pode sim existir alguma situação que tenha raiz psicológica, mas não se pode generalizar e dizer que o demônio não existe ou, se ele existe, que não intervenha maleficamente contra os seres humanos. Ele existe e age no mundo com ódio e inveja de Deus, além da inveja dos seres humanos que foram redimidos e salvos em Jesus Cristo.

Saber que o diabo existe e opera no mundo não deve ser um motivo de pânico ou de supervalorização de sua presença, mas uma ocasião de crescimento na virtude da esperança que está direcionada para Deus. Deus é refúgio, quanto mais próximos dele estivermos mais distantes do mal ficaremos. O diabo faz espetáculos falsos e quer a atenção das pessoas, portanto, você deve saber se voltar para Deus e se abrigar nele.

Hora de rezar

Com esperança e confiança filial se entregue a Deus na oração, peça que o Sangue de Cristo derramado na Cruz o livre do maligno que deseja a sua perdição. Deus é vitorioso e você pode participar dessa vitória se conservar uma vida íntima de oração com ele.

(Faça o sinal da cruz, respire profundamente e devagar. Quando soltar o ar, pronuncie a primeira das frases, depois respire novamente, pronuncie a outra e por fim a úl-

tima. Faça três vezes a mesma sequência das três frases, o que totalizará nove preces.)

1. Mas livrai-nos do mal;
2. Mas livrai-nos da mentira;
3. Mas livrai-nos da astúcia demoníaca.

Conserve mais alguns instantes em oração espontânea. Termine esta prece com a oração completa do pai-nosso, da ave-maria, do Glória ao Pai e faça o sinal da cruz para encerrar.

Acesse o QR CODE e reze com o Padre Alex Nogueira!

A ação comum do diabo

Quando se fala da ação do diabo, logo vem à mente cenas de possessos, manifestações maléficas e espantosas, fatos que até podem gerar medo e assombro. Porém, um elemento mais grave do que uma possessão demoníaca é o pecado consentido. Isso porque, na possessão, a pessoa está de certa forma privada da liberdade; assim, a ação do demônio não passa pela decisão livre da pessoa e por isso não é atribuída uma responsabilidade humana pelo ato. Já no caso do pecado, o ser humano com liberdade o quer e decide por ele, e desse modo ele leva a pessoa a perder sua salvação.

Nesse sentido, a forma mais comum do demônio agir é na tentação que sugere o pecado. Aqui está o maior perigo de todos, pois implica em perder a salvação conquistada por Jesus para os homens. Na manifestação de infestações podem acontecer coisas incomuns, porém, se analisadas estritamente, não são pecados. Deve-se temer em primeiro lugar as ocasiões que levam ao pecado e não manifestações extraordinárias de males causados pelo demônio que em si não são pecados.

Já foi explicado no capítulo sobre as tentações que elas acontecem por permissão da Providência Divina. Sabe-se que Deus sempre poderá tirar um bem do mal provocado pelo inimigo da salvação. O grande mal que pode ferir o cristão é o pecado. Embora existam outros males como doenças, solidão, tristeza, perdas, entre outros, o maior mal e mais nocivo será o pecado. Uma pessoa pode passar por enfermidades físicas, porém, ao unir seus sofrimentos aos de Jesus, não cairá no pecado e poderá alcançar a salvação. O mesmo ocorre numa situação de luto, solidão ou indiferença recebida, tudo isso pode ser considerado como males na vida, mas nunca ao nível do mal nocivo como é o caso do pecado.

O diabo já foi derrotado e Deus o amarrou, por isso fica como um leão a rugir, mas não poderá nos atacar a ponto de forçar que cometamos um pecado. Por outro lado, o fiel pode livremente decidir pelo pecado e isso fará com que ele mesmo se aproxime do leão raivoso para ser ferido, tudo por vontade própria.

A ação mais comum do inimigo da salvação será de convencer o homem a pecar, perder o estado de graça, romper a amizade com Deus e assim desobedecê-lo como aconteceu com os anjos rebeldes e com Adão e Eva. Por fim, para o fortalecimento na luta diária, vale meditar sobre a definição de pecado segundo o *Catecismo da Igreja Católica,* em seu parágrafo 1849: "O pecado é uma falta contra a razão, a verdade, a consciência reta; é uma falta de amor verdadeiro para com Deus e para com o próximo, por causa de um apego perverso a certos bens. Fere a natureza do homem e ofende a solidariedade humana".

Hora de rezar

O pecado é pior que todas as doenças físicas, pior que qualquer manifestação demoníaca espantosa, mas por ser uma realidade que afeta a alma invisivelmente, embora tenha consequências visíveis, é muitas vezes tratado como algo normal e tranquilo. Pela oração se pode conhecer a gravidade do pecado e confiar no amor misericordioso de Jesus.

(Faça o sinal da cruz, respire profundamente e devagar. Quando soltar, o ar pronuncie a primeira das frases, depois respire novamente, pronuncie a outra e por fim a última. Faça três vezes a mesma sequência das três frases, o que totalizará nove preces.)

1. Mas livrai-nos do mal;
2. Mas livrai-nos de decidir pelo pecado;
3. Mas livrai-nos da confusão demoníaca.

Conserve mais alguns instantes de oração espontânea. Termine esta prece com a oração completa do pai-nosso, da ave-maria, do Glória ao Pai e faça o sinal da cruz para encerrar.

Acesse o QR CODE e reze com o Padre Alex Nogueira!

A ação extraordinária do diabo

A forma mais comum do diabo agir é a tentação para pecar e isso é o pior de todos os males pois nos faz perder a alma. Essas situações são as mais frequentes na vida cristã, mas também existem casos excepcionais que são raríssimos e que têm origem demoníaca. Na tradição da Igreja, quatro são as manifestações extraordinárias mais comuns nos relatos, sobretudo dos exorcistas, a saber: possessão, obsessão, vexação e infestação.

Na possessão demoníaca, o "eu" humano é bloqueado pelo domínio do diabo e, dessa forma, se veem paralisadas a vontade e a inteligência próprias da pessoa. Podem ser um ou mais demônios que assumem o controle e a direção do corpo humano, isso de forma constante ou em alguns períodos específicos. Essa qualidade de ação extraordinária impressiona muito os que a veem, é raríssima, e tudo o que a pessoa fizer sob o domínio exclusivamente diabólico não terá nenhuma responsabilidade moral. Ao exercer tal possessão, o diabo se mostra como um derrotado, pois, embora queira ter um corpo humano para se assemelhar a Jesus que assumiu completamente a natureza humana, ele jamais poderá alcançar tal feito, por isso sempre será imperfeito.

Quanto à obsessão diabólica, o ataque não será ao corpo da pessoa, como no caso da possessão, mas nos sentidos internos, como a imaginação e a memória. Desse modo, a pessoa se vê atormentada em seu interior, sobretudo com ideias obsessivas de coisas totalmente contrárias à santidade e que não têm razão de existir no histórico de vida do atormentado.

Este tipo de obsessão é também raríssimo e não pode ser confundido com doenças psiquiátricas, que são muito comuns, como no caso do transtorno obsessivo compulsivo. Deve-se tomar cuidado em culpar o demônio por obsessões interiores, quando elas têm origem em transtornos psíquicos da própria pessoa. Na dúvida, sempre busque a ajuda do profissional de saúde competente e ajuda espiritual conjunta, mas nunca abandone uma em detrimento da outra, isso seria uma imprudência seriíssima.

Na vexação diabólica, a ação do demônio agride fisicamente o corpo humano, embora a pessoa continue no controle de sua inteligência e vontade. É muito comum verificar tais situações relatadas na vida de pessoas muito santas e de reconhecida virtude. A santidade de vida desperta tamanha raiva no demônio a ponto de ele causar agressões físicas na pessoa. Há relatos testemunhados pelos frades que conviviam com São Pio de Pietrelcina, nos quais o santo foi espancado pelo demônio. Muitas são as formas de vexação possíveis, entre elas podem ser: levitação, mordidas, batidas, arranhões, entre outras. Este fenômeno também é raríssimo, por isso deve-se ter prudência ao analisá-lo porque existem possibilidades de simulação por parte de quem os relata.

Por fim, a chamada infestação diabólica está ligada a coisas e lugares, enquanto a possessão, obsessão e vexação são ataques diretos ao homem. Nesse caso, a ação demoníaca acontece num lugar específico ou em algum objeto, não importa quem seja a pessoa que por ali passe ou entre em contato, perceberá que tal lugar tem manifestações da ação demoníaca. Também, deve-se ter cuidado ao deduzir a ação do demônio a qualquer perturbação em lugares, toda a cautela deve ser utilizada nesse tipo de análise.

Seja qual for o caso dessas chamadas ações extraordinárias do demônio, elas devem ser ponderadas com prudência e não cabe considerar que tudo de errado que aconteça seja culpa do diabo. Tais fatos acontecem, porém são raríssimos e, na maioria das vezes, o que mais deve preocupar são as ações comuns do demônio que querem conduzir à decisão de pecar. Havendo suspeitas fundadas a respeito das citadas ações demoníacas, cautelosamente busque a ajuda e discernimento dos ministros competentes da Igreja Católica que tenham experiência e autorização para lidar com esses casos.

Hora de rezar

Embora as ações diabólicas possam causar assombro, nunca se esqueça que uma alma unida intimamente a Deus através da oração não tem nada o que temer. Por isso, rezar é indispensável para discernir as situações e saber permanecer em Deus.

(Faça o sinal da cruz, respire profundamente e devagar. Quando soltar o ar, pronuncie a primeira das frases, depois respire novamente, pronuncie a outra e por fim a última. Faça três vezes a mesma sequência das três frases, o que totalizará nove preces.)

1. **Mas livrai-nos do mal;**
2. **Mas livrai-nos da possessão e da obsessão;**
3. **Mas livrai-nos da vexação e da infestação.**

Conserve mais alguns instantes de oração espontânea. Termine esta prece com a oração completa do pai-nosso, da ave-maria, do Glória ao Pai e faça o sinal da cruz para encerrar.

Acesse o QR CODE e reze com o Padre Alex Nogueira!

Como lutar contra o mal?

Pela via da humildade, a pessoa que luta contra o mal se desfaz do orgulho para confiar naquele que verdadeiramente pode combater e vencer o mal, ou seja, Jesus Cristo. Abandone a ideia de que sozinho poderá combater o mal e se abandone inteiramente nas mãos de Deus. No trecho do salmo 91(90) se compreende que a proteção no combate é dada exclusivamente por Deus: "Feliz o que se abriga sob o Altíssimo, do Todo-poderoso vive à sombra! Dize ao Senhor: 'Tu és o meu refúgio; meu baluarte, o Deus em quem confio!'. Do ardil do caçador te guardará, do contágio da peste que arruína. Ele te cobrirá com suas asas, encontrarás abrigo em suas penas. Sua fidelidade se assemelha a uma couraça e escudo que protegem" (Sl 91,1-4).

Assim, os dois primeiros passos no combate contra o mal são a humildade e o abrigo buscado no Senhor. O fiel que se refugia em Deus e nele encontra abrigo, possui o desejo de permanecer cada vez mais unido ao Senhor. Já o terceiro passo no combate é preencher-se da graça de Deus, quanto mais lugar para Deus na vida da pessoa, menos espaço encontrará o mal.

Buscar uma sincera conversão é o verdadeiro caminho para combater o mal e suas consequências. De nada adianta querer se proteger do mal através de um caminho de superstições e na forma orgulhosa de escolher as coisas somente da maneira como quer. Há um só Deus, e toda a confiança deve estar depositada nele. Não se vive com um "pé em cada canoa", num dia sendo católico para fugir do mal, porém, no outro dia, já confiando em horóscopos e nas mais diversas superstições.

Assuma uma autêntica vida de combate contra o mal e saiba que o início de tudo se fará em seu coração. Decida-se por Deus unicamente, confesse os seus pecados com sincero arrependimento, comece a rezar diariamente e entenda que isso é verdadeiramente habitar à sombra do Altíssimo. Porém, não se esqueça que quanto mais próximo de Deus, mais ódio terá o diabo de você, por isso ele tentará tirá-lo do caminho da salvação. Seja firme e decidido, lembre-se das coisas do alto e não queira trocar os bens celestes pelas atrações terrestres. Nas bem-aventuranças Jesus termina com a afirmação de uma certeza: "Alegrai-vos e exultai, porque grande será a vossa recompensa nos céus" (Mt 5,12).

Uma vida de combate espiritual é uma vida de oração e relação íntima com Deus. E, conforme progredir e crescer nessa vida, seja cada vez mais vigilante, pois a confusão do maligno tentará levar você para o caminho da mentira. Este combate se faz com vigilância e luta constantes contra o pecado. Sobre esta luta e vigilância contra as artimanhas do demônio, o Papa Francisco deu um conselho no número 161 da Exortação apostólica *Gaudete et exsultate*: "Então, não pensemos que [o diabo] seja um mito, uma representação, um símbolo, uma figura ou uma ideia. Este engano nos leva a diminuir a vigilância, a nos descuidarmos e a ficarmos mais expostos. O demônio não precisa de nos possuir. Envenena-nos com o ódio, a tristeza, a inveja, os vícios. E assim, enquanto abrandamos a vigilância, ele aproveita para destruir a nossa vida, nossas famílias e nossas comunidades, porque, 'anda ao redor como um leão que ruge, procurando a quem devorar' (1Pd 5,8)".

Quanto mais vigilantes na vida da graça, na oração e contra o pecado, mais fortes estaremos na luta contra o mal. Vivendo em Deus e no bem, não haverá espaço para o mal criar suas raízes. Talvez você possa perguntar: "Mas diversos santos que permaneciam na graça de Deus foram atacados pelo demônio até mesmo com vexações, como isso se explica?"

Saiba que, na oração do pai-nosso, ao dizermos "livrai-nos do mal", pedimos a Deus que não caiamos na artimanha do maligno, que é o próprio pecado, o maior mal que pode devastar nossa alma. Porém, também pedimos, segundo a vontade de Deus, que sejamos livres dos males extraordinários que podem acontecer em certas circunstâncias. Essas ações extraordinárias são permitidas por Deus até mesmo na vida dos santos para mostrar que o demônio se revolta contra a santidade de uma pessoa, por isso pode atacá-la, mas Deus jamais permitirá que os que confiam no Senhor sejam vencidos.

Nesse sentido, acontece como Scott Hahn afirma em seu livro *Compreender o Pai-Nosso*: "A ação do diabo é, portanto, pior do que inútil: é autodestrutiva. Pois quando lutamos contra as tentações dele, tornamo-nos mais fortes na virtude e ganhamos vida divina por meio da graça. E, mesmo quando sucumbimos às promessas falsas que nos faz, se depois retornamos a Deus com o coração contrito, também nos tornamos mais fortes. Se permanecermos unidos em Cristo, não teremos motivos para temer as provações: elas atuam apenas em nosso benefício".

Mesmo no exemplo de São Pio de Pietrelcina, citado no tópico anterior, em que o diabo agredia o corpo do santo, o que é denominado como vexação, isso era ocasião para que São Pio se unisse mais ainda a Deus e o amasse com maior intensidade. Por isso, no combate espiritual contra o mal nunca desanime, pois o maligno já foi derrotado no alto da cruz e agora podemos vencer com Cristo e nele nos fortalecermos, assim como afirma São Paulo: "Sei viver na necessidade e na fartura. Estou habituado a toda e qualquer condição de vida: a de estar saciado ou passar fome, estar na abundância ou na pobreza. Tudo posso naquele que me torna forte" (Fl 4,12-13).

Hora de rezar

Toda luta requer sempre uma preparação e por isso, na vida – seja antes, durante ou depois da luta espiritual – a oração será sempre indispensável para que permaneçamos em Jesus.

(Faça o sinal da cruz, respire profundamente e devagar. Quando soltar o ar, pronuncie a primeira das frases, depois respire novamente, pronuncie a outra e por fim a úl-

tima. Faça três vezes a mesma sequência das três frases, o que totalizará nove preces.)

1. Senhor, fortalecei-nos na luta contra o mal;
2. Mas livrai-nos do mal;
3. Mas livrai-nos da fraqueza espiritual.

Conserve mais alguns instantes de oração espontânea. Termine esta prece com a oração completa do pai-nosso, da ave-maria, do Glória ao Pai e faça o sinal da cruz para encerrar.

Acesse o QR CODE e reze com o Padre Alex Nogueira!

Amém, assim seja!

Ao final do pai-nosso, a oração é confirmada e terminada com a aceitação total de todos pelas preces proferidas. Ao dizer amém, o orante sabe que deseja tudo o que rezou e por isso confirma o cumprimento daquilo que Jesus ensinou a rezar. Dizer amém é confirmar que acredito, que quero tudo aquilo, é estar disponível à Vontade de Deus.

A Virgem Maria, quando aceitou os planos de Deus, disse: "Eis aqui a serva do Senhor" (Lc 1,38). Esse é um ato de total disposição e generosidade em que, por meio do "amém", manifesta-se tudo aquilo que Deus quer. Como é belo rezar e, de coração, desejar e acreditar em tudo o que se reza. Não é um ato de hipocrisia ou duplicidade, mas de verdade e total aceitação.

O ato de dizer "não" a Deus leva o coração humano à tristeza, pois o desvia do único caminho realizador das expectativas mais profundas da alma. Quando uma pessoa decide seguir Deus com sinceridade, ela encontrará o sentido de sua história com a segurança de ter encontrado o único caminho revelado aos homens por Deus, aquele que conduz à salvação: Jesus Cristo.

Na Santa Missa, quando se recebe o corpo de Cristo entregue pelo ministro e se escuta "Corpo de Cristo", imediatamente o fiel responde com uma afirmação que brota do profundo da alma: "Amém". Com tal palavra se descreve que a fé no mistério da Eucaristia é viva no coração e na mente. Também em outras orações comumente se termina com a palavra "Amém". No hebraico, *amen* tem correspondência com a palavra "crer", o que leva a expressar confiança e fidelidade.

Quando o pai-nosso é rezado na liturgia da Santa Missa, diferente de outros momentos de oração, o "amém" não deve ser dito logo depois de "mas livrai-nos do mal". Isso porque a oração do pai-nosso na Missa é como se fosse estendida e, quando a assembleia termina de dizer "mas livrai-nos do mal", o sacerdote já inicia a continuidade da oração ao dizer, "livrai-nos de todos os males, ó Pai..." e todos concluem com a prece: "vosso é o reino, o poder e a glória para sempre".

No Apocalipse, quando o anjo se dirige à Igreja de Laodiceia, ele chama Jesus de "o Amém", visto que o Cristo é a consumação e o fim de todas as coisas. "Eis o que diz o Amém, a testemunha fiel e verdadeira, o princípio da criação de Deus" (Ap 3,14). Por isso, na vida do fiel tudo deve ser com Cristo, por Cristo e em Cristo, visto que ele é o sustento, o princípio e o fim de todas as coisas. Fugir dele é fugir de uma verdade inabalável e salvífica.

Hora de rezar

Aprender a dizer amém é um ato de fé que deve ser feito por aquele que reza no Espírito Santo. Na oração você nunca deve querer que seja feita a sua vontade, mas diga sempre "amém" à vontade de Deus. Com tal atitude entenderá o que realmente vale a pena buscar neste mundo.

(Faça o sinal da cruz, respire profundamente e devagar. Quando soltar o ar, pronuncie a primeira das frases, depois respire novamente, pronuncie a outra e por fim a última. Faça três vezes a mesma sequência das três frases, o que totalizará nove preces.)

1. **Eis-me aqui Senhor;**
2. **Amém, eu quero a vossa vontade;**
3. **Amém, que assim seja em minha vida.**

Conserve mais alguns instantes de oração espontânea. Termine esta prece com a oração completa do pai-nosso, da ave-maria, do Glória ao Pai e faça o sinal da cruz para encerrar.

Acesse o QR CODE e reze com o Padre Alex Nogueira!

Conclusão

Ao final deste livro, espero que sua experiência leve a dizer: "Orar fez muito bem!". Jesus, quando ensinou os discípulos a rezarem o pai-nosso, deixou não apenas uma oração, mas um itinerário para viver a fé. Agora que terminou a leitura do livro, não se esqueça que a oração deve ser uma prática constante em sua vida.

Não precisa elaborar preces difíceis para serem compreendidas. Reze sempre com simplicidade, como um amigo que conversa com o outro. Uma das tentações de quem chega ao final de uma jornada de oração é a ideia de que depois disso não precisa mais rezar. Lute contra tal tentação, pois mesmo depois de ter concluído uma novena, um livro de oração, uma quaresma ou qualquer outro itinerário oracional será necessário continuar em espírito de oração e permanecer em Deus.

São Paulo quando escreveu a primeira carta aos Tessalonicenses ressaltou três virtudes essenciais na vida cristã que demonstram essa permanência em Deus, a saber: fé, esperança e amor. "Relembrando sem cessar, na presença de nosso Deus e Pai, a **atividade da vossa fé**, o **esforço da vossa caridade** e a **vossa constante esperança** em nosso Senhor Jesus Cristo" (1Ts 1,3).

Ao escrever sobre a "atividade da vossa fé", São Paulo recorda as atitudes (ato/atuação) de uma pessoa que tem fé. Em primeiro lugar, o significado dessa "atitude" é a de compreender uma verdade de fé e tomar a decisão de afirmar: "Eu creio". Tradicionalmente, tal escolha é manifestada numa oração chamada "ato de fé": "Senhor Deus, creio firmemente e confesso todas e cada uma das coisas que a Santa Igreja Católica propõe, porque vós, ó Deus, revelastes todas essas coisas, vós, que sois a Eterna Verdade e Sabedoria que não pode enganar nem ser enganada. Nesta fé é minha determinação viver e morrer. Amém".

Após apontar para a atuação da fé, São Paulo fala sobre "o esforço da vossa caridade" e com isso ensina que não se vive a caridade sem o devido esforço. Durante todo este livro, foi realizada uma jornada de meditação e oração, motivando o esforço de se converter em vista do amor a Deus e ao próximo. Por isso, não deixe de continuar esse esforço de alcançar a caridade através da fé. Muitas forças contrárias tentarão retirá-lo do caminho do amor, mas carregue a seguinte verdade: "Estou convencido de que nem a morte, nem a vida, nem os anjos, nem os poderes, nem as coisas presentes ou futuras, nem as forças, nem a altitude, nem a profundeza, nem outra criatura qualquer poderá nos separar do amor que Deus nos manifesta em Cristo Jesus, Senhor nosso" (Rm 8,38-39).

Por fim, São Paulo fala da "constância da vossa esperança" e aponta que o cristão está fortalecido por uma esperança maior, aquela de alcançar a salvação conquistada por Jesus. A nossa esperança está fixada no céu. A pessoa que vive na verdadeira esperança vê o mundo com os olhos de Deus e entende que sua vida nesta terra é apenas um sopro. A superficialidade das coisas deste mundo passará, mas permanecerá aquilo que é essencial, a vida eterna em Deus.

Convoco você a viver nesta esperança, uma vez que nela estamos salvos (Rm 8,24). Ainda não vemos o céu, não estamos na eternidade, mas esperamos confiantes chegar lá. Reze, tenha fé, viva na esperança e na caridade e seja perseverante, pois Deus é fiel e não abandona jamais os que nele confiam. Por isso, esforce-se por encontrar Jesus sobretudo na Igreja e na oração.

Rezar o pai-nosso é encontrar-se com Jesus, aquele que nos ensinou a rezar.. Todos querem esse encontro com Jesus e, desse modo, termino este livro com as palavras do parágrafo 246 do *Documento de Aparecida*, que aponta um dos lugares certos do desejado encontro com Jesus, em vista de permanecer na esperança até o fim: "O encontro com Cristo, graças à ação invisível do Espírito Santo, realiza-se na fé recebida e vivida na Igreja. Com as palavras do papa Bento XVI, repetimos com certeza: A Igreja é nossa casa! Esta é nossa casa! Na Igreja Católica temos tudo o que é bom, tudo o que é motivo de segurança e de consolo! Quem aceita a Cristo: Caminho, Verdade e Vida, em sua totalidade, tem garantida a paz e a felicidade, nesta e na outra vida!".

Que Deus lhe abençoe nesta jornada de fé e oração rumo ao céu. Amém!

editoração impressão acabamento

Rua 1822 nº 341 – Ipiranga
04216-000 São Paulo, SP
T 55 11 3385 8500/8501, 2063 4275
www.loyola.com.br